CA

‖‖‖‖‖‖‖‖‖‖‖‖‖‖‖‖‖‖‖
D1374038

# Réveiller son
# MÉDECIN
# INTÉRIEUR

Catalogage avant publication de la Bibliothèque nationale du Canada

Bolduc, Line

    Réveiller son médecin intérieur: le mieux-être par le rire

    (Collection Psychologie)

    ISBN 2-7640-0707-8

    1. Bonheur. 2. Succès – Aspect psychologique. 3. Rire – Emploi en thérapeutique. 4. Autothérapie. 5. Changement (Psychologie). I. Titre. II. Collection: Collection Psychologie (Éditions Quebecor).

BF575.H27B64 2004          152.4'2          C2003-941758-1

LES ÉDITIONS QUEBECOR
7, chemin Bates
Outremont (Québec)
H2V 4V7
Tél.: (514) 270-1746

©2004, Les Éditions Quebecor
Bibliothèque nationale du Québec
Bibliothèque nationale du Canada

Éditeur: Jacques Simard
Coordonnateur de la production: Daniel Jasmin
Conception de la couverture: Bernard Langlois
Illustration de la couverture: PhotoDisc
Révision: Jocelyne Cormier
Correction d'épreuves: François Petit
Maquette intérieure et infographie: Claude Bergeron

Nous reconnaissons l'aide financière du gouvernement du Canada par l'entremise du Programme d'Aide au Développement de l'Industrie de l'Édition pour nos activités d'édition.

Gouvernement du Québec — Programme de crédit d'impôt pour l'édition de livres — Gestion SODEC.

Imprimé au Canada

# LINE BOLDUC

## Réveiller son
# MÉDECIN
# INTÉRIEUR

LES ÉDITIONS
## Quebecor
QUEBECOR MEDIA

# Sommaire

# Avant-propos

C'est avec le sourire que je vous souhaite la plus cordiale bienvenue dans le merveilleux monde du rire et de la santé. À la lecture de cet ouvrage, vous trouverez une multitude d'outils, de blagues et d'anecdotes qui viendront maximiser votre plaisir.

Ce sont plus de vingt ans de recherche, d'études et d'expérimentations que mon cœur, mon âme et mon esprit ont le goût de partager avec vous tous. Réveiller son médecin intérieur est né, en grande partie, à la suite des demandes des clients qui se sont retrouvés dans les salles où j'enseigne depuis plusieurs années.

Les conférences, ateliers et formations auprès de ces milliers de gens ont suscité ce besoin et ce désir de répandre la bonne humeur à une échelle encore plus grande. C'est avec amour, simplicité, passion et compassion que je m'émerveille en aidant les gens à ensoleiller leur cœur et leur visage avec les outils que la vie a mis sur mon chemin.

Tous les trucs et moyens qui vous sont présentés dans ce livre ont d'abord été expérimentés. Comme la plupart des gens, pour ne pas dire tous, j'ai eu mon lot de joies et de difficultés et, tout comme vous, je continue au fil des jours à faire de mon mieux pour que mon quotidien soit le prélude d'heureux souvenirs.

Comme bien des gens, c'est à la suite d'un burnout il y a plusieurs années que j'ai dû faire une mise au point majeure dans ma vie. Six mois d'arrêt m'ont été nécessaires pour refaire surface. J'ai dû puiser au plus profond de moi pour remonter la côte et c'est dans le contact avec moi-même, avec la nature et le plaisir que j'ai pu réussir à me remettre en forme à tous les points de vue. Je dis tout de même merci à cette épreuve, car elle m'a, entre autres choses, ouvert la voie vers ce travail qui me rend maintenant très heureuse et qui me permet de partager ce moment privilégié avec vous.

Afin de mieux vous situer sur mes antécédents personnels et professionnels, voici brièvement certaines des avenues qui m'ont servi à avancer sur la voie de la connaissance de soi.

Depuis l'âge de 18 ans, je m'intéresse à la santé sous tous ses aspects. Cet intérêt m'a d'abord incitée à faire des études en diététique et j'ai œuvré dans la santé par la nutrition pendant une quinzaine d'années, notamment dans les milieux de l'enseignement aux adultes, de la petite enfance et des hôpitaux.

J'y ai ajouté, parallèlement, une certification en programmation neurolinguistique (PNL). Plusieurs voient cette science comme étant à la fine pointe de la psychologie moderne. Elle permet une profonde compréhension de notre fonctionnement psychologique, des ancrages et comportements que nous provoquons et entretenons tout au long de notre vie. On y apprend à désamorcer les problématiques internes par des changements de perception dans notre imagerie mentale, etc. On y explore beaucoup la gestion de la pensée, la communication, la vente, les relations humaines, et plus encore. L'approche valorise le jeu plutôt que le sérieux, pour maximiser les résultats.

À cela s'est ajoutée une maîtrise en métaphysique. Cette science est à la base même de la connaissance de soi, de la réalisation des buts et de la pensée positive. Elle permet surtout d'apprendre comment faire l'unité intérieure en harmonisant les plans mental, physique et spirituel. Une formation de base de l'École nationale de l'humour de Montréal a aussi servi de tremplin supplémentaire aux activités actuelles. J'ai aussi étudié avec le D<sup>r</sup> Madan Kataria, fondateur des clubs de rire.

Un esprit de découverte très vif a favorisé mon exploration autodidacte et l'expérimentation de différentes approches telles que l'ontologie, la phytothérapie, l'aromathérapie, le taïchi, le taeboe, les chakras, la manupuncture, l'énergie curative, la danse, la peinture, et j'en passe. J'ai de plus œuvré plusieurs années dans le management et le commerce international dans le domaine de l'environnement, où j'ai tout appris « sur le tas », comme on dit. Cette expérience m'a amenée à voyager à l'étranger et à avoir une vision élargie du monde. Mon but ultime est donc de vous aider à semer le plaisir, la joie et le rire dans votre vie afin d'en récolter un bonheur durable. L'enseignement basé sur le rire, que je véhicule, est des plus personnalisés. Que ce soit le contenu, les jeux ou les exercices, tout a été adapté et construit dans le but de vous apporter le maximum de résultats et de plaisir.

Durant certaines démarches intensives visant mon propre développement personnel, j'ai souvent retrouvé des formations où le remous d'émotions était présent. Je me disais alors : « Il y a certainement une façon de régler bien des conflits intérieurs par la douceur et le plaisir. » Aujourd'hui, je réponds oui sans hésitation.

J'en conviens, les façons de faire ne sont pas à discuter et chaque individu se dirige vers ce qui semble lui convenir le mieux à tel ou tel moment de sa vie et c'est bien ainsi. J'en conviens aussi, l'approche par le rire ne limite en rien le besoin pour certains de consulter des professionnels de la santé (médecin, psychologue, etc.) lorsqu'il le faut vraiment ; c'est même souhaitable.

Je veux tout simplement vous faire partager le meilleur de mon expérience afin de vous aider à développer votre propre humour en profondeur, car il est un gage de santé. Et il n'est aucunement question de se forcer pour être drôle ou de viser à devenir un comique extrémiste. Il s'agit plutôt de revoir nos façons de faire les choses si nous voulons améliorer nos résultats et de diriger notre attention différemment afin que le rire et le plaisir s'installent de façon automatique dans notre quotidien.

Dans un tel processus, je considère qu'il est de mise de remercier tous les gens qui m'ont soutenue et qui me soutiennent dans ce métier plutôt marginal. Je pense autant aux gens qui assistent aux présentations en salle depuis de nombreuses années qu'aux bons mots qu'ils ont sur les bienfaits que cela leur apporte.

Je remercie tendrement ma cellule familiale qui, depuis toujours, m'offre un milieu des plus épanouissants où l'amour, le rire et l'entraide sont des valeurs hautement considérées. Je remercie particulièrement mes deux trésors, Mireille et Denis, pour le cadeau qu'ils sont dans ma vie. Bien des gens passent dans nos vies, mais nos enfants, nos frères et sœurs ainsi que nos parents demeurent des piliers. Tous sont une source d'épanouissement et de plaisir autant que ma santé et ma vie ; ils méritent une telle gratitude. Je veux aussi dire un merci spécial à mon conjoint Jacques, mon tendre amour, pour le bonheur partagé et la profondeur de ce qui nous unit.

Je suis effectivement une passionnée de la santé et de la vie. J'aime rire et faire rire, j'aime ce qui est dynamique et enjoué, j'aime que ma vie soit une fête. C'est pourquoi j'espère que les mots que mon cœur vous fera partager dans ces pages sauront vous faire vibrer autant que la douce chaleur que procure le rire. Je vous invite à prendre plaisir à réveiller votre médecin intérieur.

Je vous félicite pour le cadeau débordant de vie que vous vous faites en vous offrant la lecture de ce volume rempli d'amour et d'inspiration pour instaurer puissamment le rire dans votre vie. Laissez le plaisir vous enivrer et faire jaillir en vous la joie et l'abondance de dynamisme comme une merveilleuse onde de bonheur longuement désirée et enfin manifestée. Bonne lecture !

Les blagues contenues dans ce livre ont uniquement pour but de divertir. Elles ne véhiculent ni idéologie ni discrimination de la part de l'auteure.

# Chapitre 1

# Les nombreux bienfaits du rire

## Est-ce que vous riez suffisamment ?

On dit qu'en 1939, les gens riaient en moyenne 19 minutes par jour, en 1982, 6 minutes et en 1990, 4 minutes. C'est loin d'être drôle ! On est dans les années 2000, il y en a sûrement plusieurs qui ne sont pas morts de rire… Pourtant, le rire doit jouer un rôle fondamental au quotidien.

Notre éducation nous a appris plein de choses, mais pas vraiment comment entretenir le rire comme source de vitalité. Nos parents nous ont donné le meilleur d'eux-mêmes avec les ressources qu'ils avaient, et c'est ainsi au fil des générations.

Le rire a longtemps été considéré comme une impolitesse par la société et diabolique par l'Église. Heureusement, les temps changent : le rire est maintenant appelé à devenir un outil supplémentaire dans le traitement de nombreuses maladies. Il est un élément de prévention extraordinaire, pour ne pas dire une source de guérison potentielle mais combien sous-estimée ou méconnue.

Chacun de vous a pu ressentir à un moment ou à un autre que le fait d'avoir ri lui avait procuré une détente profonde, un sentiment de soulagement et de paix. Vous avez peut-être même réalisé que votre intellect devenait plus alerte. Le rire crée un sentiment d'acceptation du moment présent. On le sait, on le sent, le rire fait du bien. Alors, riez-vous suffisamment ?

## L'humour médicament

Ce n'est plus un secret, le rire et l'humour sont des clefs maîtresses dans l'art de mieux vivre et de préserver la santé. En cette époque, nous remarquons que l'industrie pharmaceutique est en constante

Si le rire est la santé,
Si le rire est contagieux,
Alors, je souhaite de tout cœur que ce joyeux virus
Soit le début d'une épidémie qui pourrait répandre sa douce infection
Un peu partout sur la planète en passant aujourd'hui par chez vous.

cabale pour nous encourager à consommer le fruit de ses recherches scientifiques. Il est donc encore plus pertinent de se rappeler que, comme le dit le D^r Christian Tal Schaller, le rire est un excellent ingrédient naturel qui favorise la santé mentale.

Le rire aurait un effet positif sur le métabolisme et sur tout le système immunitaire. Au départ, il augmente la capacité respiratoire. Les expirations forcées par le rire entraînent un grand calme émotionnel en créant une meilleure oxygénation. Il provoque une gymnastique abdominale merveilleuse, facilitant ainsi la digestion ainsi que le fonctionnement du pancréas, du foie et de tous les organes de l'abdomen. Un fou rire aurait, toujours selon le D^r Tal Schaller, des effets comparables à une bonne séance de gymnastique ou de sport!

*Mot d'enfant*
Au cours d'une conversation avec sa grand-mère centenaire, une fillette de six ans lui dit: «Tu devais être très belle, toi, grand-maman, lorsque tu étais neuve!»

Le D^r Madan Kataria, médecin généraliste indien et pratiquant en internat de cardiologie, a fondé les clubs de rire qui se retrouvent maintenant aux quatre coins du monde. Il favorise des exercices du rire simples et amenant une respiration approfondie. Par exemple, en début de séance, il peut suggérer aux gens de se dire bonjour sans parler mais en tentant de murmurer avec un sourire intérieur. Pensez-vous qu'ils restent sérieux longtemps? Essayez cela et vous verrez! En faisant cet exercice, ajoutez un sourire en plus, ce sera encore plus drôle, surtout en groupe.

Dans les années 1970, Norman Cousins a été un modèle pour la science médicale. Ce journaliste américain était envahi par les douleurs et confiné à un fauteuil roulant. Il était atteint d'une maladie appelée spondylarthrite ankylosante (maladie qui atteint la colonne vertébrale): les médecins ne lui donnaient qu'une chance sur 500 de s'en sortir. Son histoire de guérison a commencé par hasard (on dit que le hasard n'existe pas et je suis d'accord avec cela!). Il regardait la télévision quand un film comique lui est apparu à l'écran. Après avoir l'écouté et ri un bon coup, il a réalisé qu'il avait réussi à oublier ses souffrances.

Il a renouvelé l'expérience jusqu'à ce que guérison s'ensuive, car il y avait décelé cette possibilité. Les films de Charlie Chaplin et des Marx Brothers lui ont particulièrement été utiles, et de sa guérison est né son livre *La volonté de guérir*. Selon lui et de nombreuses autres recherches et expérimentations (D^r Patch Adams, D^r Madan Kataria, D^r Christian Tal Schaller, D^r William Fry, D^r Henri Rubinstein, etc.), les bienfaits du rire sont très nombreux.

Au Québec, je considère le D^r Gilles Lapointe comme un médecin porteur de bonheur. Il dégage un charisme et un dynamisme qui lui ont valu une forte cote d'amour du public. Bien connu pour ses nombreuses interventions télévisées, ses écrits, etc., il valorise la santé bien au-delà de la médecine tant par ses propos sur la pensée positive, la gestion du stress, le plaisir que par son attitude. Il est, de plus, un excellent chanteur et guitariste qui sait comment faire monter l'énergie et le plaisir d'une foule. J'ai déjà assisté à ses spectacles et laissez-moi vous dire que ça bouge continuellement et que l'atmosphère est à la fête. Le rire et la vie, il sait les communiquer avec brio!

Quant au D$^r$ Jean Drouin, il utilise le rire en complémentarité à sa pratique et c'est merveilleux qu'il lui donne ainsi sa place car les gens ont besoin de cette fraîcheur curative. Ce médecin de famille se sert de la rigolothérapie dans les maladies psychosomatiques, en pédiatrie et en soins palliatifs. Dans une chronique de *L'Actualité médicale* du 10 mars 1999, il a dit: «Aucune recherche n'a mesuré l'impact du rire sur la qualité de vie des malades. Toutefois, j'ai remarqué que certains de mes patients ont cessé de prendre des anti-dépresseurs, qu'ils ne font plus d'insomnie et que leurs douleurs arthritiques sont moins violentes. Cependant, il ne faut pas s'imaginer que le rire permettra de guérir un cancer. Par contre, à l'Hôpital général d'Ottawa, la qualité de vie des malades atteints de cancer et soumis à des ateliers sur le rire s'est améliorée, ce qui s'est traduit par une diminution des doses de morphine.»

Selon moi, le rire, la visualisation positive, le plaisir et l'approche métaphysique de tout problème peuvent amener le rétablissement complet, même lorsqu'il s'agit d'un cancer.

J'ai eu beaucoup de plaisir à lire et à relire les livres du D$^r$ Frederick W. Bailes, qui s'est autoguéri du diabète dans les années 1940, à l'époque où aucun médicament n'existait. Son ouvrage *Votre esprit peut vous guérir* est un modèle sur lequel je base, entre autres, mon opinion. Il y écrit: «Chaque médecin sait quel rôle décisif joue l'esprit du patient dans toute guérison. Il est donc particulièrement important que le malade sache qu'il possède en lui-même les armes pour se défendre et qu'il les connaisse parfaitement. La santé est un état normal et, par l'esprit, chacun est maître non seulement de son corps, mais de sa vie entière. Nous sommes un... avec l'Énergie Universelle... et elle peut nous guérir si nous apprenons à la maîtriser.»

Cette énergie est accessible à chacun, à tout moment et dans n'importe quelle situation. Le seul problème, c'est que les gens voient cette force comme étant extérieure à eux et font des demandes à une instance suprême éloignée en se sentant petits au lieu d'activer cette intelligence qui est en eux et qui fait battre leur cœur.

Toujours selon le D$^r$ Bailes, «L'esprit est tout et peut tout. Malades, ne désespérez jamais! La présence qui guérit est en vous; ne la cherchez pas en dehors de vous! Elle attend que vous vous serviez d'elle, et vous verrez alors des miracles dont vous ne pourrez plus douter.»

Pour tout malade, cette connaissance et son application peuvent représenter un magnifique espoir et, pour un grand nombre, une certitude et une réalité vivante. L'intervention de personnes extérieures peut également aider beaucoup. Un autre ouvrage du D<sup>r</sup> Bailes, *La puissance de l'optimisme*, rejoint bien l'idée d'instaurer le plaisir dans nos vies.

J'ai eu la chance de côtoyer plusieurs personnes qui se sont autoguéries malgré des diagnostics fatalistes, et je crois fermement que c'est possible. Je me dis que la médecine soutient la personne le temps que le corps et l'esprit se réunifient et guérissent par la voie de l'intelligence universelle et de la volonté de vie. On ne peut faire les choses à la place de qui que ce soit ni obliger quelqu'un à croire en ces forces (et en ses forces), mais je suis convaincue du mieux-être que cette voie peut apporter, ne serait-ce qu'un soulagement et une plus grande ouverture spirituelle.

Nous pouvons mettre beaucoup d'or et de joyaux devant ta porte, mais nous ne pourrons ouvrir la porte pour toi.

## Le rire stimule nos hormones et nos organes

Le rire stimule la sécrétion d'endorphines, qui sont comme de petites hormones de bonheur euphorisantes et qui peuvent atténuer grandement la douleur, le stress et les angoisses. Apaisant, calmant, le rire déclenche dans le corps une onde musculaire, une sorte de gymnastique douce qui permet de contracter et de décontracter les yeux, la bouche, le diaphragme, les abdominaux, les cuisses, les épaules, etc. Il offre un massage intérieur qui tonifie les organes et stimule les défenses immunitaires.

Que se passe-t-il dans notre organisme quand nous rions ? Imaginons la scène.

**Phase 1.** En riant, nous déclenchons des mouvements saccadés au sein du diaphragme (muscle qui se trouve sous les poumons et le cœur, et qui sépare ces organes des viscères de l'abdomen). Ces secousses provoquent une accélération de l'air dans les poumons et les bronches, les aidant ainsi à se nettoyer de leurs sécrétions.

Vous observerez que plusieurs personnes toussent à ce moment de l'exercice. Ces mouvements chatouillent le cœur et stimulent la circulation du sang, permettant ainsi de mieux nourrir les tissus et de brûler plus de déchets en lien avec un meilleur apport en oxygène.

**Phase 2.** Les mouvements saccadés du diaphragme étendent leurs vibrations et provoquent un massage du foie, entraînant du même coup un meilleur drainage des nutriments protéiques et vita-miniques vers le sang. La bile s'évacue mieux vers l'intestin, favori-sant ainsi l'absorption des vitamines liposolubles (A, D, E et K), lesquelles sont reconnues pour protéger les cellules de la conges-tion toxique.

Le massage du foie provoque à son tour un massage du pan-créas, ce qui l'aide à libérer enzymes et insuline. Les sucres énergé-tiques susceptibles de ravigoter l'organisme sont ainsi renouvelés. Les secousses du diaphragme viennent masser l'estomac, ce qui en extrait l'aigreur et adoucit l'individu. À gauche, sous le diaphragme, la rate est brassée harmonieusement, stimulant ainsi les défenses de l'organisme car elle joue un rôle sur la production d'anticorps.

**Phase 3.** Les mouvements des trois organes sous le diaphragme massent par le fait même le petit et le gros intestin, favorisant alors une meilleure digestion et une meilleure évacuation des déchets.

**Phase 4.** Lorsqu'on rit aux éclats, la tête se secoue, les membres s'agitent et la colonne vertébrale se relâche. Une douce chaleur bien-faisante envahit l'être, le ravigote et le vivifie. Le rire contribue à mieux nourrir les tissus nerveux et musculaires. Il vivifie, nettoie et purifie. Il ramone l'organisme ; plus il est présent, plus il constitue la meilleure des cures de rajeunissement. Il améliore les relations humaines et

Dure réalité pour un enfant ! « Je ne retournerai pas à l'école parce qu'on y apprend juste des choses que je ne sais pas. »

ajoute de la vie à la vie. Le rire détend mentalement et physiquement ; c'est pour cela que plusieurs disent que le rire est bon pour la constipation mentale et physique. Il est comme l'orgasme de l'esprit.

## Pourquoi rire de plus en plus ?

- Le rire aide à combattre l'anxiété et l'agressivité.

- Qui est capable de rester en colère contre quelqu'un qui le fait rire ?

- Le rire aide à dédramatiser certaines situations.

- Plus vous riez, meilleures sont vos chances de rester en bonne santé.

- L'humour et le rire favorisent les rapports sociaux et détendent l'atmosphère.

- Les adeptes réguliers du rire ont constaté qu'ils souffrent moins de rhumes, de toux et d'autres infections pulmonaires.

- Le rire contribue à synchroniser les hémisphères du cerveau. L'hémisphère gauche est le siège de la raison, de la logique et de l'analyse ; l'hémisphère droit régit la créativité, les émotions, l'imagination et le rire. L'équilibre entre les deux facilite la prise de bonnes décisions et un sentiment de bien-être.

- Le rire améliore notre confiance en nous, car il nous met en contact avec soi tout en éloignant les peurs et les préjugés.

- Le D$^r$ William Fry a démontré qu'une minute de rire équivaut à 10 minutes de rameur, ce qui est comparable à un excellent exercice aérobique. Le rire est donc efficace pour les gens à mobilité réduite, en fauteuil roulant ou alités.

- Le rire facilite les rapprochements et stimule le désir sexuel.

- Le rire donne des airs de jeunesse en irriguant encore plus le visage.

- Le rire nous rend plus chaleureux et séduisants ! En titillant nos glandes lacrymales, il ajoute de l'éclat à notre regard.

- Socialement, le rire permet de lutter contre l'isolement qui engendre la déprime. Le fait de se joindre à un groupe d'individus enjoués, de participer à des cours d'humour et de rire dynamise tout votre être et chasse le sentiment de solitude intérieure qui accable trop de gens de nos jours. Le rire, c'est du soleil dans votre vie!

Homme moderne : personne qui se rend de son bureau climatisé, en voiture climatisée, à son club de sport climatisé, pour y prendre un bain de vapeur.

## Des recherches scientifiques sur le rire

Un article intitulé « La mesure scientifique des effets positifs du rire sur le système immunitaire » (http://www.reseauproteus.net/signaler/2001032600.htm), daté du 26 mars 2001, mentionne qu'on connaît depuis longtemps l'effet bénéfique de la bonne humeur sur le processus de guérison. Au XVIIIe siècle, Voltaire commit même un petit aphorisme qu'on cite encore : « L'art de la médecine consiste à amuser le patient pendant que la nature guérit la maladie. » Au cours du XXe siècle, c'est à l'Américain Norman Cousins, qui s'est guéri d'une maladie réputée incurable en visionnant des films comiques, qu'on doit la création d'un véritable intérêt scientifique pour la question. L'objectif de la recherche était carrément de mesurer l'effet d'un bon rire joyeux sur divers paramètres neuroimmunologiques comme le nombre et l'activité des cellules tueuses naturelles (NK), les leucocytes, les cellules T, B, l'interféron gamma, les lymphocytes, granulocytes et autres monocytes, toutes cellules et substances utilisées pour combattre les maladies. La méthode utilisée ? Le visionnement d'une vidéo comique durant une heure et l'analyse d'échantillons sanguins pris 10 minutes avant, en milieu de visionnement, puis 30 minutes et 12 heures après. Les sujets ? Cinquante-deux étudiants en médecine, tous volontaires. Les résultats semblent sans équivoque : on a mesuré une activité accrue des cellules tueuses naturelles et une augmentation significative des immunoglobulines G, A et M, des cellules T et de la plupart des autres paramètres analysés. Certains effets étaient encore clairement mesurables plus de 12 heures après la visionnement, comme le nombre d'immunoglobulines, de leucocytes et la quantité d'interférons gamma, une substance impliquée dans la régulation du système immunitaire.

Le rire en tant que stress positif sur les paramètres neuroimmunitaires peut avoir des effets bénéfiques sur l'état de bien-être et cette « rigolothérapie » pourrait être utilisée comme méthode complémentaire dans une approche de médecine intégrée. Autrement dit, le rire est une très bonne façon de stimuler son système immunitaire et devrait faire partie des saines et élémentaires habitudes de vie. Médecin de la Renaissance (XVe siècle), Rabelais racontait que « faire rire ses malades était déjà les mettre sur la voie de la guérison ». Il avait sans doute raison. Au XVIIIe siècle, Beaumarchais (l'auteur du *Barbier de Séville*) disait : « Je me presse de rire de tout, de peur d'être obligé d'en pleurer. »

Plusieurs hôpitaux ont recours à des thérapies par le rire pour favoriser la guérison de certains patients. Lorsqu'on envoie des clowns aux personnes atteintes de cancer, c'est plus sérieux qu'on ne le croit. Je trouve intéressantes les interventions de l'association Le rire médecin, en France. On y mentionne que, dans ce pays, un enfant sur deux est hospitalisé avant l'âge de 15 ans. Pour ces enfants et leurs parents, une simple visite ou un séjour à l'hôpital est souvent synonyme d'angoisse, de solitude et de détresse. Pour les aider à mieux vivre ces moments douloureux, l'Association réunit des clowns qui ne se produisent ni au cirque ni au théâtre, mais dans les services pédiatriques, auprès des enfants malades.

Qu'est-ce qu'un chandail ? C'est un vêtement que doit porter un enfant lorsque sa mère a froid.

Ces clowns visent à améliorer la qualité de vie des enfants pendant leur séjour à l'hôpital et à les aider à mieux vivre ce moment difficile. Ils permettent de dédramatiser le milieu hospitalier tout en révélant aux enfants, à leur famille et au personnel soignant, que l'humour, le rêve et la fantaisie peuvent faire partie de leur vie, même à l'intérieur d'un hôpital. Ils offrent aux familles et au personnel médical des moments de détente et de distraction, afin d'aider chacun à porter un regard différent sur l'enfant hospitalisé.

Le D$^r$ Henri Rubinstein (auteur de *La psychosomatique du rire*) estime qu'une minute de rire équivaut à 45 minutes de relaxation.

 **Exercice**

### Qu'est-ce qui vous fait rire ?

Offrez-vous un petit cadeau qui ne prendra que quelques minutes. Avec le sourire, inscrivez en toute simplicité le plus grand nombre possible de choses qui vous font rire. Cet exercice vous aidera à reconnaître encore plus ces petits bonheurs qui, trop souvent, passent inaperçus.

_____

_____

_____

_____

_____

Qu'est-ce qu'un gardien d'enfant ? C'est un adolescent qui doit se comporter comme un adulte, de sorte que les adultes qui sortent puissent se comporter comme des adolescents.

## Les bienfaits du sourire

Mieux vaut avoir le sourire que le «sous-rire». Quoi de plus beau qu'un sourire pour illuminer un visage ! Prenez l'habitude de vous accrocher un sourire inté / rieur et exté / rieur. Le fait d'adopter le sourire permet d'envoyer de nouveaux signaux positifs à notre cerveau. C'est comme lui dire qu'on choisit la bonne humeur. Notre réaction biochimique interne s'ajustera favorablement à ce message en sécrétant des hormones euphorisantes, les endorphines.

Le sourire est une clef passe-partout qui illumine tant la personne qui le donne que celle qui le reçoit. Vous pourriez peut-être vous donner un tout petit défi. Prenez l'habitude de sourire à au moins cinq personnes par jour, et tant mieux si c'est encore plus ! N'attendez pas d'être heureux pour sourire : souriez et vous serez plus heureux.

*Mot d'enfant*
« Ah ! le printemps… Le printemps, c'est quand la neige fond et qu'elle repousse en gazon ! »

**Exercice**

## Illuminez vos cellules par le sourire

Cet exercice est très régénérateur. Depuis de nombreuses années, plusieurs personnes à qui je l'ai enseigné m'en ont témoigné les résultats positifs. Vous pouvez vous amuser à le faire en vous éveillant le matin ou à tout autre moment qui vous convient. Prenez plaisir à imaginer que vous souriez à chaque partie de votre corps : votre cœur, vos poumons, votre estomac, votre foie, vos intestins, vos reins, vos bras, vos jambes, etc. Il se pourrait qu'à certaines parties de votre corps vous ayez le goût de dire, par exemple : « Mes cuisses, attendez votre tour. » C'est normal, au début. Vous illuminez, une à une, toutes les parties de votre corps : celles qui résistent le plus sont justement celles qui ont le plus besoin d'être aimées.

Imaginez que vous envoyez une énergie bienfaisante à chacune de ces parties (de la bonne humeur, de la vitalité, de l'amour, etc.). Vous pouvez même visualiser que toutes vos cellules ont le sourire et fonctionnent parfaitement bien. Vous pouvez aussi les remercier de bien faire leur travail à chaque instant de votre vie.

Qui de vous deux a suggéré le mariage ? Ni l'un ni l'autre, c'est le comptable. Ce fut vraiment un mariage d'amour… d'amour de l'argent.

## UN SOURIRE

Un sourire ne coûte rien et produit beaucoup
Il enrichit ceux qui le reçoivent
Sans appauvrir ceux qui le donnent

Il ne dure qu'un instant
Mais son souvenir est parfois éternel
Il crée le bonheur au foyer
Il est le signe sensible de l'amitié
Un sourire donne du repos à l'être fatigué
Rend du courage au plus découragé
Il ne peut ni s'acheter, ni se prêter, ni se voler
Car c'est une chose qui n'a de valeur
Qu'à partir du moment où il se donne
Et si quelquefois vous rencontrez une personne
Qui ne sait plus avoir le sourire
Soyez généreux, donnez-lui le vôtre
Car nul n'a autant besoin d'un sourire
Que celui qui ne peut en donner aux autres.

 **Exercice**

### Qu'est-ce qui vous fait sourire ?

Tout comme dans un exercice précédent, où vous avez pris le temps de répertorier les éléments qui déclenchent chez vous des rires, je vous invite maintenant à vous amuser à écrire ce qui vous fait sourire.

_____

_____

_____

_____

_____

_____

_____

.

## Une bonne posture pour mieux sourire

Notre physiologie, c'est-à-dire la façon dont nous nous servons de notre corps, influence grandement notre état intérieur. En optant pour une posture droite, en y ajoutant le sourire et une démarche dynamique, nous mettons en branle le processus biochimique pouvant nous conduire vers un plus grand sentiment de bien-être.

À la pharmacie, une vendeuse dit: « On a des shampoings pour les cheveux gras, des shampoings pour les cheveux secs, des shampoings pour les cheveux normaux. » Le client répond alors: « En avez-vous pour des cheveux sales? »

 **Exercice**

### La posture déprimée

Je vous invite à faire une petite expérience. Installez-vous dans un fauteuil comme une personne déprimée et très fatiguée pourrait le faire; les épaules arrondies, les fesses descendues sur le bout du fauteuil, la mine aguerrie, aucun sourire, la bouche flasque, etc., et essayez de vous sentir en forme. Plutôt difficile, n'est-ce pas? À moins que le fou rire ne vous prenne d'assaut!

Maintenant, faites le contraire. Installez-vous dans votre fauteuil et adoptez la posture d'une personne qui réussit merveilleusement bien dans tous les domaines de sa vie, et accrochez un sourire à vos lèvres. Observez la différence. Il est bien plus difficile de penser négativement en ayant le sourire et une bonne posture.

**Exercice**

## La démarche du nigaud et celle de l'enfant

Amusez-vous à faire la démarche du nigaud. Marchez très lentement, les épaules basses, la mine rabougrie, les bras tombants, et observez comment vous vous sentez. Faites cela en famille ou au bureau, vous allez rire beaucoup.

Maintenant, imaginez-vous lorsque vous aviez trois ou quatre ans. Vous aviez le pied léger au réveil et une envie souvent irrésistible d'aller jouer. Rarement voit-on un enfant se lever et se dire : « Je suis encore fatigué, il me semble que je resterais couché. » Il trottine et pense à s'amuser tandis que nous, en tant qu'adultes, nous nous enlisons dans notre sérieux.

Voici donc un petit jeu. Si vous vous sentez en forme, levez-vous, prenez une bonne posture décontractée, accrochez un sourire à vos lèvres et mettez-vous à trottiner dans votre salon ou dans le couloir de la maison comme le ferait un enfant de trois ou quatre ans, puis observez ce qui se passe en vous.

Il se peut que vous vous sentiez ridicule ; il y a là un indicateur de votre résistance au plaisir. Il se peut que vous soyez porté à regarder si quelqu'un vous voit. Fermez vos rideaux avant le jeu ou attendez que tous aient quitté la maison. Il se peut également que vous vous sentiez léger et le cœur content et que vous ayez le goût de vous laisser aller davantage à lâcher votre fou de plus en plus : c'est ce que je vous souhaite.

Observez ce qui se passe réellement en vous ; c'est un jeu, une expérience, assurez-vous de ne jamais vous prendre au sérieux en jouant.

Ironique, n'est-ce pas?

Le nourrisson qui fait ses premiers balbutiements nous émerveille.

On est fier de lui enseigner à parler et, lorsqu'il parle, on lui demande de garder le silence.

On enseigne au petit enfant qui commence à se traîner comment il peut arriver à marcher seul et, quand il marche, on lui demande de rester assis tranquille.

Au moment où le jeune commence à s'affirmer en vue de développer sa maturité, on lui demande d'être adulte.

À l'adulte, harassé par ses problèmes, on demande de renouer avec l'enfant en lui.

À l'aîné en perte d'autonomie, on se plaint qu'il retombe en enfance.

Alors, c'est quand l'enfance?

En résumé, le rire libère, nous fait nous sentir en vie. Il fait naître ou grandir l'enthousiasme en nous. Il est un antistress merveilleux, il chasse la timidité, permet de lâcher notre fou et de retrouver l'enfant en nous. Si vous avez un petit moment de déprime, demandez-vous « Quelles sont les activités qui me font du bien et que j'affectionne particulièrement? » et allez-y, changez-vous les idées et faites-vous plaisir, car personne ne peut le faire à votre place.

Un jour, un jeune homme de 95 ans se fait demander sa recette de longévité par un ami. Il lui répond: « C'est très simple: pas d'abus alimentaire, pas de sexe, pas trop de rires, pas d'alcool. Tu vas voir que la vie va te paraître longue. »

## Exercice

### La maladie du bonheur

Voici les symptômes de cette heureuse maladie.

1. Tendance à se laisser guider par son intuition plutôt que d'agir sous la pression des peurs, des idées reçues et des conditionnements du passé.

2. Manque total d'intérêt pour juger les autres, se juger soi-même et s'intéresser à tout ce qui engendre des conflits.

3. Perte complète de la capacité de se faire du souci (cela représente l'un des symptômes les plus graves).

4. Plaisir constant d'apprécier les choses et les êtres tels qu'ils sont, ce qui entraîne une disparition de l'habitude de vouloir changer les autres.

5. Désir intense de se transformer soi-même pour faire place à la santé, à la créativité et à l'amour.

6. Attaques répétées de ce sourire qui égaye et embellit, en plus de donner un sentiment d'unité et d'harmonie avec tout ce qui vit.

7. Propension sans cesse croissante à avoir un cœur d'enfant, à valoriser la simplicité, le rire et la gaieté.

Un couple en difficulté se retrouve à l'hôpital. Le mari dit à sa femme sur le point d'accoucher: «Si le bébé te ressemble, ça va être extraordinaire.» La femme répond alors: «Et si le bébé te ressemble, ça va être un miracle.»

Si vous souhaitez vivre dans la peur, les conflits, la maladie et le conformisme, évitez tout contact avec des personnes présentant ces symptômes.

Cette maladie est extrêmement contagieuse. Si vous présentez déjà des symptômes, sachez que votre état est probablement irréversible. Les traitements médicaux chimiques peuvent faire disparaître momentanément quelques symptômes, mais ne peuvent s'opposer à la progression inéluctable du joyeux phénomène.

Des troubles sociaux risquent de se produire, tels que grèves de l'esprit belliqueux, rassemblements de gens heureux pour chanter, danser et célébrer la vie, cercles de partage et de guérison, crises collectives de fous rires.

Bienvenue dans le club!

---

*Avis.* Cet énoncé vous paraîtra peut-être curieux, mais je me dois de vous faire la mise en garde suivante. Si vous avez des doutes sur votre état de santé, consultez votre médecin afin de vous assurer que le rire intense vous soit réellement bénéfique. Peut-être qu'un problème musculaire particulier ou un autre problème de santé pourrait en contredire l'utilisation intensive, c'est à vous et à lui d'en juger.

---

# Chapitre 2

# Avez-vous le sens de l'humour?

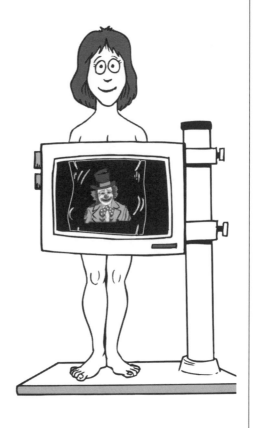

## L'humour au quotidien

L'humour est un passe-partout universel. Peu importe la nationalité, le sexe, l'âge, les croyances spirituelles ou politiques, tous apprécient pouvoir rire et recevoir un sourire. L'humour est unifiant et permet de dédramatiser bien des situations.

En observant les mouvements de violence planétaires, on se rend compte qu'il y a un immense travail social à faire. Mais comment pouvons-nous en venir à répandre la bonne humeur à grande échelle? Tout simplement en augmentant notre mieux-être, chacun pour nous, car l'amélioration du monde qui nous entoure commence par l'amélioration de soi. Si nous allons bien, notre famille ira mieux, notre milieu de travail ira mieux, le pays ira mieux, etc.

L'humour nous élève comme si nous étions portés par un bouquet de ballons gonflés à l'hélium. L'humour est source de joie et de santé, il illumine le cœur et le corps. Ses bienfaits irradient comme les ondes d'un caillou lancé sur un lac. Il fait du bien à celui qui le donne et à celui qui le reçoit.

Apprendre à rire de ses ennuis peut paraître ironique à première vue, mais cette voie peut soulager bien des maux. Il s'agit juste de savoir comment s'y prendre et d'y mettre un peu de pratique pour

« Où il n'y a pas d'humour, il n'y a pas d'humanité. »
Eugène Ionesco

obtenir des résultats fantastiques. Mon but est de vous aider à y arriver en toute simplicité.

La santé mentale se reflète par un d'état d'équilibre psychique et émotionnel qui suscite un sentiment de bien-être général, favorise de meilleures relations interpersonnelles et nous rend aptes à faire face harmonieusement aux exigences de la vie. Cette stabilité se crée à travers une saine harmonisation des plans spirituel, physique, émotionnel, social, économique et mental.

Progrès : aptitude qu'ont les gens à compliquer ce qui est simple.

On s'aperçoit trop souvent que les gens considèrent malheureusement l'humour et le rire de façon péjorative et il n'est pas rare d'entendre ce type de phrase : « Arrête de rire, tu n'as pas l'air professionnel. » J'ai justement reçu un témoignage à ce sujet en écrivant ce livre. Je discutais avec une dame qui est secrétaire dans un cabinet professionnel et c'est ce qu'elle me racontait. Elle est un rayon de soleil merveilleux pour son entourage, mais elle est portée à se retenir puisque ce n'est pas bien vu dans son environnement.

À discuter avec elle, on pouvait palper son bonheur et son aptitude pour le rire et le plaisir. Je lui ai fait remarquer que je constatais qu'elle était apte à faire rire facilement les gens et à ensoleiller leur vie. Elle m'a demandé pourquoi j'osais lui faire ce compliment. Je lui ai expliqué mon métier et vous vous douterez que je l'ai encouragée à être elle-même et à répandre cette bonne humeur en toute sincérité et à mettre de côté la hantise du ridicule véhiculée.

Le sé / rieux occasionne probablement plus de mort que la guerre et toute épidémie, et il bloque l'énergie en créant une usure par le stress, un échauffement de l'esprit et la maladie.

L'humour sain est très bienfaisant, mais attention à l'humour volontairement blessant ou sarcastique. En plus d'être de mauvais goût et

Jumelles : agrandit instantanément un objet… ou une famille.

inutile, il peut dénoter une fuite face à soi-même ou encore un refus d'être impliqué dans un échange émotif. Amusez-vous en toute simplicité et laissez la joie réchauffer votre cœur!

## Se jouer des tours, pourquoi pas?

Égayer notre quotidien, ça se fait dans les petites choses. À ce sujet, plusieurs prennent plaisir à taquiner leurs amis et à leur jouer des tours. L'important, c'est que ces petits tours ne fassent aucun mal à qui que ce soit.

Voici quelques trucs qui pourraient vous inspirer.

• Le petit cochon. Il y a une dizaine d'années, j'avais organisé une fête d'enfants. Je m'étais servie d'un petit cochon en plastique qui se retrouvait dans une fermette d'enfant et une fois bien lavé, je l'avais glissé dans une salade de riz en sachant que les enfants se serviraient eux-mêmes. À ma grande surprise, c'est mon fils qui est arrivé avec sa grosse cuillère de service et qui a entendu toc toc dans la salade. Il est coquin et taquin comme tout, alors sa réaction a fait la joie des enfants. Ce petit cochon a permis de susciter

« L'humour renforce notre instinct de survie et sauvegarde notre santé d'esprit. »

Charlie Chaplin

des éclats de rire dont chacun se souviendra longtemps. Quoi de plus simple ! Et quant à moi, je pense que j'ai eu encore plus de bonheur à faire ce tour qu'eux à le vivre.

- **L'épingle et le ballon.** Je me souviens aussi d'une anecdote lors d'un atelier que je donnais au sein d'un groupe. Dans les salles, j'installe souvent des ballons pour égayer l'atmosphère. Comme l'activité se déroulait toute la journée, nous avions pris un bon repas tous ensemble. Ayant peut-être mangé un peu plus que les autres, Marcel somnolait. Une participante toute joyeuse me demanda : « Line, est-ce que tu me donnes la permission de le réveiller ? » Pensez-vous que j'allais dire non ? Elle avait le plaisir d'avoir une petite épingle dans ses poches. Alors, elle a pris un ballon et avec joie elle y enfonça sa petite épingle juste en avant de notre gentil monsieur. Il a alors sursauté avec vigueur, et ce, au plus grand bonheur de tous. Nous avons ri aux larmes de voir sa réaction, et le fou rire de tous autant que le sien ont réchauffé l'atmosphère encore plus pendant quelques minutes.

- **Les pinces à linge.** J'ai déjà attaché quelques pinces à linge derrière le veston de quelques personnes que je connaissais bien, et ce, juste avant qu'elles partent pour aller faire des courses. J'en entendais parler à leur retour, on riait bien. J'ai même déjà vu quelqu'un revenir avec les pinces encore suspendues à son veston. Ça a été encore plus drôle.

- **Le sel et le café.** Changez le sucre en sel près de la table à café : vous assisterez à des séances de grimaces assez fantastiques. J'ai également déjà vu quelqu'un incorporer un peu d'antiacide gastrique à effervescence dans le pot de sucre destiné au café. Per-

Avant de quitter le restaurant, un père demande à la serveuse : « Pourriez-vous mettre les restants dans un sac pour que je les apporte à mon chien ? » Tommy s'écrie alors : « Quoi, papa, tu vas acheter un chien en entrant à la maison ? »

sonne n'avait le temps d'en boire, car les bulles se mettaient à surgir, et le rire s'installait. Faites attention de bien choisir vos personnes cibles et soyez prêt à vous faire taquiner vous aussi.

Vous avez sûrement, vous aussi, de bons souvenirs d'enfance à raconter! Prenez plaisir à instaurer ce partage de faits cocasses, et le rire vous suivra de près.

## L'actualité, source de rire

La vache folle. Qui n'a pas entendu parler de la maladie de la vache folle? Vous pourriez vous amuser à demander à vos amis comment savoir si une vache a cette maladie ou non. La démonstration que je fais aux gens est la suivante. Quand une vache est saine, son meuglement est meu (et vous le faites). Quand elle a la maladie de la vache folle, elle fait ceci: (et là, vous faites un petit meu suivi d'éclats de rire et quelques petits meu meu accentués et plus forts, et tout cela entremêlé d'autres éclats de rire saccadés). C'est très drôle. Faites-leur imaginer la vache avec un chapeau fleuri, des souliers à talons hauts, etc. Pratiquez avec eux, vous allez avoir bien du plaisir. Restez à l'affût de tout ce qui peut être caricaturé, et votre imaginaire humoristique sera bien occupé.

## Le quotidien, source de plaisir

Amusez-vous à profiter de tout ce qui peut vous faire rire: regarder et lire des bandes dessinées, écouter des émissions humoristiques, faire des jeux de mots, jouer des tours, etc.

Si le sérieux de la routine ne vous apporte pas tout le bien-être désiré, il est peut-être temps de rire des imprévus qu'on rencontre, tels un plat qui se renverse par terre, la voiture qui va moins bien, les sautes d'humeur familiales, etc. Par exemple, vous échappez une assiette par terre et elle se casse. Au lieu de maugréer, imaginez que vous criez: «Bravo j'ai réussi! Une de moins à laver!» Absurde, direz-vous, mais loufoque et imprévu. Comment réagiront les gens autour de vous? L'effet de surprise sera là et vous leur donnerez peut-être le goût de faire les choses différemment à leur tour.

 **Exercice**

## Quel est votre quotient humoristique ?

Prenez quelques minutes pour vous questionner « sérieusement » sur les éléments suivants. Ils vous aideront à déterminer votre quotient humoristique sans calculs scientifiques ni pointage, et vous réaliserez bien des choses en vous amusant ainsi.

1. Est-ce que vous croyez avoir le sens de l'humour ? (Question sérieuse, n'est-ce pas ?)

2. En pensant à votre attitude face au rire, au plaisir et à l'humour, quelle note vous accordez-vous sur une échelle de 1 à 10 ? (Vous avez le droit d'être à 11 et plus.)

3. Est-ce que vous êtes à l'aise quand les gens font de l'humour autour de vous ? Est-ce que vous embarquez dans le jeu ou si vous avez hâte que ça se termine ? Avez-vous soudainement une fausse envie d'aller à la salle de bain pour fuir ?

4. Est-ce que vous croyez que les autres vous considèrent comme quelqu'un qui a un bon sens de l'humour ? Ou avez-vous un air de …

5. Avez-vous le sourire facile et spontané quand vous rencontrez quelqu'un ?

6. Aimez-vous rire ? (Drôle de question !)

7. Êtes-vous capable de rire facilement ?

8. Quels sont les éléments qui pourraient vous empêcher de rire ? La température, les autres…

9. Êtes-vous capable de rire de vous, de vos bévues ? Ou attendez-vous que les autres le fassent ?

10. Qu'est-ce qui pourrait être, pour vous, une source de plaisir dans la vie de tous les jours ? Avez-vous envie dorénavant de focaliser davantage sur le plaisir ?

11. Comment pouvez-vous rire plus au quotidien ?

12. Êtes-vous parfois l'initiateur du déferlement d'humour ou de rire ?

13. Êtes-vous susceptible face à l'humour ?
    Voici d'ailleurs un fait cocasse qui m'est arrivé à ce sujet. Un jour, je faisais une conférence et un homme a fait la réflexion suivante à haute voix et sur un ton très humoristique. « Tu es chanceuse, toi, tu es allée à l'école pour apprendre à faire rire les gens, moi je suis allé à l'école pour apprendre que les autres riaient de moi ! »

14. Est-ce possible de rire en famille, au travail ? Si oui, pourquoi ? Sinon, pourquoi ?

15. Avez-vous le goût de rire plus ? Que comptez-vous faire pour y arriver ?

16. Êtes-vous prêt à commencer maintenant à être plus heureux ?

17. Êtes-vous prêt à gérer votre stress par le plaisir ? Quels sont les moyens actuels que vous prenez pour y arriver ?

18. Savez-vous rire des situations dérangeantes ?

19. Quelles sont vos aptitudes pour avoir un plus grand sens de l'humour ? Un rire particulier, un physique comique, une vivacité d'esprit, le désir de rire plus, d'avoir plus de plaisir ?

20. Quel genre d'humour aimez-vous ? L'humour spontané qui naît des événements quotidiens, un spectacle d'humour, des dessins animés, des films drôles, des conférences comiques ?

21. Aimez-vous avoir des amis rigolos ?

22. Pouvez-vous faire renaître vos souvenirs les plus comiques et les écrire ?

23. Avez-vous pensé à vous faire un cahier de choses comiques (blagues, images, etc. ) ?

24. Les membres de votre famille ont-ils le sens de l'humour ? Si oui, qu'est-ce que vous pouvez en tirer comme inspiration ? Sinon, que pouvez-vous faire pour augmenter le rire, l'humour et le plaisir ?

« L'humour est une affirmation de la dignité, une déclaration de la supériorité de l'homme face à ce qui lui arrive. »

Romain Gary

Supposons que vous ayez une panne d'essence. Est-ce que le réservoir va se remplir plus vite parce que vous insultez tous les saints du ciel par votre langage? Bien sûr que non. Vous pourriez avoir une attitude qui vous ferait dire : « Merci, je suis en santé, il fait beau soleil et ça va. » Ou s'il pleut, se dire que ce sera bon pour la nature. Gardez le sourire, respirez bien, restez calme, et tout ira mieux. Il n'est pas du tout nécessaire de s'esclaffer pour tout et pour rien, mais il est primordial de changer d'attitude.

Voilà donc une multitude de façons de réveiller les « neurones » de l'humour qui sommeillent en vous. L'humour est une façon d'interpréter les événements et notre quotidien est une source perpétuelle d'inspiration humoristique. Il s'agit seulement de pratiquer un peu et de vouloir vraiment se sentir mieux.

Par exemple, imaginez-vous en train de raconter une de vos mésaventures avec des détails cocasses et en figurant mentalement ce qui aurait pu arriver, juste pour rire. Vous avez eu une crevaison. Au lieu de dramatiser, vous pourriez raconter votre aventure en disant : « Dommage que je n'avais pas une collecte de fonds à faire, j'aurais eu tout ce qu'il faut pour attirer l'attention. » Profitez-en pour faire des sourires aux passants, le temps que le garagiste vous aide si c'est le cas. Gardez-vous un objet loufoque dans le coffre à gants ou sur le siège arrière pour les imprévus, par exemple un parapluie comique. J'en ai un orange et jaune avec un gros bec de canard et de superbes beaux grands yeux, il me suit partout, je l'adore et il fait jaser agréablement, ce sont des rires garantis. Un nez rouge, de grandes oreilles en plastique, etc., peuvent aussi vous aider.

Osez déboussoler les gens par votre attitude et observez leur réaction. Je vous dérange peut-être juste à vous faire imaginer que vous pourriez oser faire cela. Plus vous résistez, plus vous avez un indicateur qu'il est temps de ramollir vos défenses.

En agissant avec originalité, vous allez avoir du plaisir et libérer vos endorphines, qui sont les hormones du plaisir et de la vitalité, au lieu de libérer de l'adrénaline, qui a des effets nocifs sur le corps. L'adrénaline est une hormone utile pour activer les réactions défensives du corps lors d'une urgence ou d'exploits sportifs, mais le problème, ces années-ci, c'est que le stress garde ce niveau inutilement élevé et cela nuit à notre système.

J'aime bien utiliser la comparaison suivante. Si, à l'âge de 20 ans, on vous donnait une voiture en vous disant « Voici, ce véhicule est le seul que tu auras pour toute ta vie », vous en prendriez grand soin. C'est la même chose pour notre corps ; c'est le seul véhicule que nous ayons pour toute une vie. On change l'huile de sa voiture, on lui fait faire des mises au point, mais notre corps et notre esprit, on les fouette même s'ils nous réclament plus d'attention et on se surprend ensuite à avoir des déséquilibres.

Le rire et l'humour constituent une méthode d'entretien journalière merveilleuse, mais c'est comme un muscle, ça se développe progressivement. Vous vous dites peut-être : « Ah, c'est trop d'ouvrage, j'aime mieux rester comme ça, c'est moins d'efforts. » Je ne suis pas là pour vous dire de changer, je veux plutôt favoriser des prises de conscience qui vous donneront le goût de vous faire du bien et de réveiller votre médecin intérieur.

Quand il est question de changement, les gens se font malheureusement une montagne avec ce qui est à faire en vue d'atteindre le but visé. Voici un exemple. Pensez à toutes les pommes de terre

Autobus : véhicule qui roule deux fois plus vite quand on court après que lorsqu'on est dedans.

Secret: quelque chose que l'on ne dit qu'à une seule personne à la fois.

que quelqu'un peut manger dans l'ensemble d'une vie et imaginez-les toutes dans le même tas. C'est impressionnant, n'est-ce pas? Mais une à une, au jour le jour, c'est agréable et facile. La vie, les résultats, c'est pareil. Pas à pas, un peu chaque jour, et on y arrive. L'évolution se compare aux graines de fleurs que l'on met en terre et qui, au fil des jours, parfumeront notre environnement.

Est-ce que nous passons notre temps à déterrer les carottes pour voir si elles ont poussé? Ou est-ce en leur tirant sur la queue que ça ira plus vite? Bien sûr que non. Mais dans notre vie, nous vivons bien des remous intérieurement au lieu de laisser l'humour, le plaisir et la visualisation du but accompli nous guider vers les plus hauts sommets.

Apprenez à chantonner de l'intérieur ou même à haute voix. Entourez-vous de gens optimistes et osez croire que la vie peut devenir une vallée de rires aux larmes au lieu d'une vallée de larmes. Prenez l'habitude des bonnes habitudes. Au lever, choisissez une pensée qui vous fait rire, pensez à quelqu'un de drôle et à la façon dont il s'y prend, et si le stress a envie de vous envahir, revenez à cette pensée comique. Affichez la blague du jour sur votre réfrigérateur ou au bureau, bref, ayez du plaisir de plus en plus, c'est presque aussi important que de dormir et de manger.

« L'humour est la forme la plus saine de la lucidité. »
Jacques Brel

Quel est le futur du verbe bâiller ? Dormir.

## En route vers le plaisir

Le manque d'humour et de gaieté est sans aucun doute un des grands « mal-aise » de notre société. Souvent, sans même l'avoir réalisé, les gens se prennent trop au sérieux. Serait-ce parce qu'ils ont oublié que « c'est rieux » (et non sé / rieux) qu'il faut être le plus possible ? Certains pensent que le sérieux donne des airs de sagesse, de profondeur, etc. Je crois plutôt que l'excès de sérieux peut devenir lourd à porter avec le temps.

Les gens se sont enfermés dans une logique qui les sécurise, c'est-à-dire qu'ils pensent qu'en raisonnant tout le temps, ils ont le contrôle sur leur vie. La vraie maîtrise de soi se vit de l'intérieur vers l'extérieur. C'est d'abord une harmonie sincère qu'on se doit de cultiver en soi. C'est d'être capable de dire en toute sincérité « Je suis bien avec moi-même », et cela, ça ne vient pas de la logique et de l'intellect. On l'obtient en ayant du plaisir, en s'écoutant de l'intérieur, en apprenant à mieux se comprendre et à se suivre comme individu plutôt que de suivre ce que d'autres pourraient, à tort ou à raison, croire bon pour nous. Être en contact avec soi, c'est être en

« L'humour a non seulement quelque chose de libérateur, mais encore quelque chose de sublime et d'élevé. »
Sigmund Freud

Snobisme: s'acheter des choses qu'on n'aime pas, avec de l'argent qu'on n'a pas, dans le but d'impressionner des gens qu'on n'aime pas.

contact avec notre petite voix intérieure, notre intuition, et plus on est dans le plaisir, plus on savoure le moment présent. C'est aussi être capable de laisser les autres penser ce qu'ils veulent de nous sans nous sentir perturbés émotivement, mentalement et physiquement.

Aimez-vous assez pour accepter votre personnalité telle qu'elle est actuellement et évitez de vous comparer avec qui que ce soit. À partir du moment où l'on s'accepte comme on est, qu'on se fout du ridicule et des critiques négatives désobligeantes, on peut ainsi beaucoup plus facilement laisser libre cours à sa bonne humeur, à l'humour et au rire, car on fait abstraction des barrières mentales qui nous en empêchaient.

Pour s'aider, on peut lire des dizaines de livres, suivre de nombreuses conférences, c'est une nourriture intérieure bénéfique sur le chemin de l'évolution personnelle, mais je considère qu'il n'y a aucun mode d'emploi qui puisse être appliqué intégralement. Chacun de nous doit concevoir sa propre recette en fonction de ses goûts, de ses besoins et de ses valeurs. Je favorise le style «vivre et laisser

«L'humour, c'est un truc pétillant qui rend les rapports entre personnes plus intelligents.»

Christian Clavier

vivre ». Ce qui est bon pour un peut être moins approprié pour l'autre, c'est évident.

En société, le problème qui se pose fréquemment, c'est que les gens veulent faire de l'autre une copie d'eux-mêmes. On perd alors le plaisir de découvrir les différences et de façonner sa flexibilité, et on dépense beaucoup d'énergie inutilement. C'est une mission impossible, et vous le savez.

La base du mieux-être se situe dans des valeurs sûres comme le rire et la gestion intérieure de son être. C'est comme s'offrir un bon tonique dont les effets durent tant qu'on veut. N'est-ce pas la vraie sagesse, la vraie sérénité que d'être capable de prendre en riant ce qui nous dérangeait autrefois ?

Apprenez à garder le sourire, accordez-vous du temps juste pour vous, voyez-vous toujours plus fort que l'obstacle, et vous aurez le plaisir d'appartenir à l'élite des gagnants et des gens heureux ; et cela, ça se construit un petit peu chaque jour, dès maintenant !

Dans une classe de cinquième année, le professeur de grammaire demande à un élève : « Le voleur a volé un camion. Où est le sujet ? » « En prison. »

## Réveillez votre bonne humeur et votre humour

Petite mise en situation. Imaginez-vous que vous êtes invité à participer à un jeu comique, par exemple sur une plage du Sud où les animateurs viennent chercher des gens pour différentes activités. Qu'est-ce qui se passe en vous ? Avez-vous envie de jouer ou, au contraire, de résister ? Y a-t-il inconfort et goût de fuir ou, au contraire, emballement et vif désir de jouer ?

Un jour, un couple marié discute. La dame dit à son mari : « Ça fait 30 ans qu'on est mariés et tu ne m'as jamais rien acheté. » Son mari lui répond : « Ah ! Je ne savais pas que tu avais quelque chose à vendre. »

Une fois de plus, votre réaction est l'indicateur de votre degré de résistance au plaisir et à l'humour. À partir du moment où vous choisissez de vous laisser aller davantage au plaisir, le temps va faire son œuvre.

Développer notre propre humour, c'est oser aller vers une plus grande légèreté d'esprit et, curieusement, c'est souvent là que vont naître les bonnes idées susceptibles de nous aider sur les plans personnel et professionnel. Le quotidien nous présente amplement son lot d'imprévus et de contrariétés, alors rien ne sert d'en ajouter davantage par notre attitude négative.

Dans vos échanges verbaux, que ce soit au travail ou ailleurs, vous pouvez prendre plaisir à raconter à quel point, par exemple, vous-même ou un ami est gaffeur et demander aux collègues d'en faire autant.

• Vous pourriez vous amuser à décrire la réaction des gens quand vous avez marché tout droit vers une vitrine et avez foncé dedans tellement elle était claire et que vous étiez distrait.

Poisson : animal dont la croissance est extrêmement rapide entre le moment où il est pêché et le moment où le pêcheur en fait la description.

- Vous pouvez rire de vous quand vous marchez pieds nus à l'extérieur et que vous pilez sur un caillou. Imaginez la scène que les gens peuvent voir à vous regarder gémir et trébucher.

- Je me souviens d'une anecdote. Je venais de terminer un travail dans mes plates-bandes. Chez nous, le recyclage des déchets végétaux est assuré par la municipalité, alors j'y avais rempli ce grand contenant sur roulettes. C'était très lourd et difficile à manipuler. Je me dis : «Je vais essayer de l'apporter au bord de la rue pour qu'il soit vidé demain.» J'étais habillée en tenue de jardinage, du genre prête pour l'Halloween, vous voyez le style. J'essaie donc de déplacer ce gros bac sous la vue de plusieurs voisins qui, eux aussi, se préparaient pour l'hiver. À mon premier mouvement pour soulever le bac, il s'est renversé sur moi, emporté par le poids. Me voilà couchée au sol, remplie de terre sur le visage, sur le corps, dans mes bottes. Il y avait des déchets végétaux répandus tout autour, et moi j'étais couchée sous le bac. Quelle belle scène! Deux réactions en deux secondes : regarder si les gens m'avaient vue et partir à rire en imaginant ce qu'ils voyaient. Je me disais que je n'étais pas blessée, que tout était merveilleux et même si j'étais seule sur le terrain cette journée-là, j'ai eu un plaisir fou à me voir dans une telle situation.

Avec la pratique, vous aurez de plus en plus de facilité à caricaturer les événements pour en diminuer les effets négatifs et augmenter votre niveau de plaisir. Entourez-vous de gens qui aiment rire et avoir du fun, comme on dit.

Rire de quelque chose exclut cependant toute insinuation déplacée envers qui que ce soit. Le respect mutuel doit toujours demeu-

«L'humour et les blagues peuvent non seulement avoir un effet thérapeutique à court terme, mais aussi sauver des civilisations entières.»

Bernard Werber

49

Réveille-matin : appareil conçu pour les gens qui n'ont pas de jeunes enfants.

rer une valeur personnelle de haut niveau. Évitez de plaisanter sur les malheurs des autres dans un dessein mesquin, car les gens vous accorderaient une étiquette de personne superficielle et ils auraient raison. Le rire et l'humour doivent donner de la fraîcheur et de la légèreté à la vie, et non servir au dénigrement. Savoir s'amuser, c'est être sensible à son environnement.

Dans les groupes que je rencontre, je constate que les gens ont un certain besoin de se faire donner la permission de s'amuser. On me dit souvent : « Ça fait 10 ans, 15 ans que je n'avais pas ri comme ça » ou « Je ne pensais même plus pouvoir me laisser aller à m'amuser et à me faire du bien comme ça. » Les vertus d'une bonne rigolade amènent les gens à réaliser que rire, c'est bon pour la santé.

Le besoin de rire est inscrit dans nos gènes, comme le mentionne le D<sup>r</sup> Christian Tad Schaller. Il fait remarquer que nous sommes capables de rire bien avant de savoir parler. Rire est naturel. Parler est culturel. Aristote disait que parmi tous les êtres vivants de la terre, seul l'homme sait rire. Le rire est pour ainsi dire une distinction spirituelle de l'homme, le rendant capable de mieux faire circuler la vie en lui. Le D<sup>r</sup> Patch Adams, quant à lui, fait également des merveilles pour le mieux-être des malades par l'utilisation du rire. Il a lui aussi tout un défi pour faire passer son message et il fait face apparemment

Si notre matière grise était rose, est-ce que cela veut dire que nous n'aurions jamais d'idées noires ?

Dentiste: personne qui trouve de quoi se mettre sous la dent en enlevant celles des autres.

à de la résistance de la part de certains collègues. Je vous conseille en effet de visionner le film *Patch Adams*. Il est très beau et favorise d'intéressantes réflexions.

Laissez-vous aller à louer des films drôles, surtout quand il vous arrive d'être triste et déprimé (tristothérapie: à bannir). Si ça ne vous arrive jamais d'être déprimé, tant mieux, et si ce sentiment en venait à vous manquer, ce ne sont pas les modèles qui manquent…

Vous aimez faire la fête? Mélangez de la vodka avec du jus de carotte. Vous serez peut-être en état d'ébriété, mais vous verrez double bien mieux.

## J'étais jadis une grande timide

La grande peur des gens face au rire et à l'humour se résume trop souvent à «Qu'est-ce que les autres vont dire?». Vous savez ce que j'en pense. Le travail que je fais aujourd'hui a été créé de toutes pièces à la suite d'un amour profond de la vie, du plaisir et du rire.

Si on remonte dans le temps, il a fallu bien des démarches pour m'affranchir et atteindre un plus grand mieux-être. À l'âge de 14 ans, j'étais encore très timide et je manquais énormément de confiance en

51

Si parfois tu te sens inutile, déprimé, petit, moins que rien, n'oublie jamais qu'un jour tu as été le plus fort et le plus rapide des spermatozoïdes de ta bande. C'est toi, le gagnant !

moi. Je parlais tellement peu que j'avais de la difficulté à dire mon nom quand on me le demandait. Je me sauvais dans ma chambre quand des visiteurs arrivaient ; aujourd'hui, j'ai un plaisir immense à parler devant des centaines, voire des milliers de personnes et à faire monter l'énergie d'un groupe jusqu'au rire généralisé et soutenu.

Curieusement, j'ai eu le plaisir de grandir dans un milieu familial où la joie et le rire étaient au rendez-vous. Que ce soit du côté paternel ou maternel, mes grands-parents avaient su transmettre cette valeur forte à mes oncles et tantes, et à mes parents bien sûr. Vous vous dites peut-être : « Elle est chanceuse, elle a été élevée là-dedans, elle. » Les bases étaient là, mais j'ai dû apprendre à les utiliser car j'avais une personnalité foncièrement renfermée.

Je réalise aujourd'hui que j'agissais plutôt en spectateur. J'aimais jouer des tours à mes parents et à mes sœurs, mais je laissais la timidité me limiter énormément sur le plan social. Le modèle familial a tout de même fait son chemin. À 15 ans, je me suis mise à stimuler le changement en suivant des cours de danse. Je réussissais bien, donc le professeur me plaçait très souvent en avant du groupe pour le remplacer lors des pratiques, ce qui fait que ma confiance a commencé à se bâtir.

À 15 ans toujours, je me suis occupée du comité mandaté pour organiser les activités pour les jeunes lors du cinquantième anniversaire de fondation du village où j'habitais et je me suis retrouvée à devoir parler devant 2 000 personnes pour finalement me surprendre à aimer cela. Au fil des années qui ont suivi, j'ai multiplié les occasions de sortir de ma coquille et fait le maximum pour me bâtir une solide confiance en moi. À 18 ans, je m'initiais à mes premiers cours de développement personnel. Ce fut le début d'un long cheminement rempli d'un vécu parfois chaotique, parfois très heureux.

De nombreuses formations, expérimentations et réflexions sur moi-même m'ont amenée à vouloir partager avec vous tous ce message de vie et d'espoir. Je suis consciente qu'on ne cesse jamais d'apprendre et de s'illuminer de l'intérieur, et vous savez comme moi que la vie nous fournit les occasions d'utiliser nos meilleurs outils. Un jour à la fois, de plus en plus de rires et de sourires, des pensées de joie, de santé et de prospérité : voilà les clefs que je vous propose à travers toutes ces pages.

Par mesure d'économie, vous êtes prié d'utiliser les deux faces du papier hygiénique. Merci de votre collaboration.

Afin de développer davantage votre sens de l'humour, apprenez à laisser de côté ce que les autres pourraient penser et laissez-vous aller à redécouvrir le plaisir de rire et d'être heureux. Faites de douces folies. Par exemple, vous avez besoin d'aller à la salle de bain. Pourquoi ne pas en profiter pour vous regarder dans le miroir en vous faisant quelques simagrées à la manière d'un petit singe et quelques houhouhou en bougeant les bras et en vous étirant? Ne le faites pas trop fort au cas où on vous entendrait et qu'on voudrait se joindre à vous! Si vous avez un peu plus d'audace, faites-le à la pause avec les collègues et essayez de rester sérieux. Mais là, les coquins, je me doute de ce que vous pourriez penser. «Moi…je ne peux pas faire ça, de quoi vais-je avoir l'air?» Commencez doucement par être capable d'être à l'aise avec vous-même afin de pouvoir le devenir avec les autres, et tout sera plus facile. Quoi de plus intime qu'une salle de bain!

En résumé, quelle est votre motivation pour rire davantage? Quel est votre degré d'humour? Quoi qu'il en soit, sachez que ça se rehausse aisément.

Dès que vous pouvez rire de quelque chose, vous pouvez le changer », disait Richard Bandler.

Dix bonnes raisons de vous fiancer
10. Ça fait plaisir aux parents.
9. Ça se glisse bien dans une conversation.
8. Ça fait un petit velours.
7. Ça fait une bonne raison pour faire la fête.
6. Ça fait rouler l'économie.
5. C'est une occasion de plus de recevoir des cadeaux.
4. Ça fait une belle bague à montrer.
3. Ça fait gagner un peu de temps.
2. Ça met fin au stress des rencontres multiples pour trouver la perle rare.
1. La meilleure raison entre toutes : ça confirme que vous vous aimez.

La vie est comme un rouleau de papier hygiénique : plus on approche de la fin, plus ça va vite.

# Chapitre 3

# Le rire par la pensée positive

## Pourquoi penser positivement?

Le but de ce chapitre est de vous aider à faciliter la mise en place de pensées porteuses de bonheur et de permettre aux rires de se déclencher plus spontanément et de plus en plus souvent.

La pensée est la faculté la plus puissante dont l'humain est doté. Sur le chemin de la réussite générale, elle constitue l'outil le plus précieux mis à notre portée. Qu'on cultive des pensées positives ou négatives, elles sont aussi puissantes les unes que les autres. Les résultats sont par contre bien différents. C'est à nous de choisir la direction que nous voulons leur donner.

L'approche présentée ici est conçue pour vous aider à trouver et à utiliser des façons pratiques et simples d'embellir votre vie. Elle vise également à vous permettre d'accéder à une meilleure connaissance de vous-même. De nombreux ingrédients de réussite vous sont présentés ; votre responsabilité est de vous façonner un mode d'emploi personnalisé. Je vous offre amicalement le plaisir de mieux vous comprendre à travers une approche douce et adaptée aux besoins actuels des gens.

Trois nigauds discutent entre eux. Le premier dit: «Je pense que ma femme me trompe avec un menuisier, car hier j'ai trouvé un marteau en dessous du lit.» Le deuxième dit: «Je pense que ma femme me trompe avec un électricien, car hier j'ai trouvé une ampoule électrique sous le lit.» Le troisième dit: «Je pense que ma femme me trompe avec un ours, car hier j'ai trouvé un chasseur sous le lit.»

Souvenez-vous que vos pensées influencent votre vie sur tous les plans (santé, travail, entrain, couple, famille, plaisir, rire, etc.). Si vous choisissez de privilégier de meilleures pensées, vous optez automatiquement pour une qualité de vie améliorée, et souvenez-vous que la pensée doit être appuyée par l'action.

## Stérilisez-vous votre vaisselle plus que vos pensées?

Avez-vous réalisé à quel point les gens sont portés à stériliser leur vaisselle tout en laissant leur esprit se nourrir d'ordures? Si, chaque jour, vous semez du positif, vous en retirerez des bienfaits toute votre vie. Donnez-vous le temps et la chance d'apprivoiser de nouvelles habitudes et, de plus en plus, vous prendrez l'habitude des bonnes habitudes.

À l'école, on a appris à lire, à écrire, à exercer un métier. Mais nous y a-t-on enseigné les bases de la vie telles les éléments clés de la gestion de la pensée et de la communication avec soi-même, les outils menant à une forte estime et à l'amour de soi? Je constate que, de nos jours, les milieux éducatifs sont de plus en plus ouverts à cette dimension, ce qui ne fut pas toujours le cas.

Inutile de philosopher plus longtemps là-dessus: l'important, c'est le moment présent, ce qu'on veut en faire et comment on le vit. Ce serait peut-être une bonne idée de penser à devenir soi-même son meilleur ami. Apprendre à mieux se connaître, à s'aimer sin-

Une femme se prépare à partir faire des courses et demande à son voisin ivre de l'aider à vérifier si les clignotants de sa voiture fonctionnent bien. L'homme observe et dit, en hochant la tête: «Oui non oui non oui non.»

cèrement, à penser positivement, à rire davantage, c'est se faire un cadeau de vie, pour la vie.

## Le bonheur, c'est un choix

Comment atteindre le bien-être, le bonheur rêvé ? Est-ce possible d'être à la fois en bonne santé et heureux, d'avoir le conjoint idéal et de faire un travail qui nous plaît, d'être à l'aise financièrement et libéré de l'influence négative des autres (et de la nôtre) ? Oui, c'est possible. Mais, dans la réalité de tous les jours, avons-nous tout ça ? Si la réponse est non, il y a place à l'amélioration. En tant qu'humain, on sait qu'il est préférable de faire de son mieux chaque jour pour prendre soin de soi en utilisant convenablement ses ressources intérieures et extérieures. Rien ne servirait d'avoir beaucoup de connaissances si la pratique est absente. Avoir du plaisir à prendre soin de soi peut, à mon avis, devenir un nouveau mode de vie des plus stimulants.

Qu'arrive-t-il si quelqu'un passe son temps à grogner, à critiquer, à juger, à haïr, à voir des « bibittes » partout ? Il s'empêche de parvenir au bonheur et ne fait que retourner les flèches contre lui chaque fois qu'il exprime un tel désordre. Plus on fait du bien et on en souhaite aux autres, plus on en récolte. Il faudrait être bien naïf pour penser faire de belles récoltes en semant des mauvaises herbes. De plus, ce qui est curieux, c'est que les gens qui adoptent ces comportements pensent que les autres sont la cause de leurs souffrances. Le problème, c'est que tout cela se passe en grande partie à un niveau inconscient. Plus quelqu'un s'ouvre aux outils favorisant un mieux-être profond, plus il réalise qu'il est lui-même la source de ses problèmes.

Il est facile de critiquer les autres au sujet de ce qui nous déplaît. Cette attitude nous évite souvent d'aller voir en nous ce qui pourrait être amélioré. Il est beaucoup plus aisé d'attaquer les autres, pensant ainsi cacher notre faiblesse. Mais, tôt ou tard, on se rend compte que c'est à soi-même qu'on nuit le plus. Gardons en tête que c'est le comportement qui est désagréable et non la personne : cela évite les jugements et favorise la compassion plutôt que la destruction.

Certains disent que la pensée est une prière. Si c'est cela, pour obtenir quoi prie-t-on? Soyez précis dans vos visualisations. Mettez en place uniquement ce que vous voulez et faites-le selon la règle des trois P, c'est-à-dire au Présent, à la Première personne et dans un esprit Positif. Voici un exemple. Vous voulez augmenter l'estime de vous à l'aide de pensées positives. Si vous dites «Il ne faut plus que j'aie l'air stupide», est-ce que les chances de succès sont bonnes? Quelle image ressort de cette phrase? La stupidité, car l'énoncé est exprimé de façon négative. La bonne manière de le dire serait plutôt: «Je (première personne) m'apprécie maintenant (présent) de plus en plus (c'est positif).» Vous pourriez aussi choisir une autre formulation, par exemple: «Je m'aime enfin de plus en plus.»

## Bien utiliser les trois niveaux de son esprit

Notre niveau conscient est la partie de notre esprit qui raisonne, qui choisit, qui utilise la logique. C'est avec lui que nous choisissons maison, voiture, conjoint, vêtements, etc., même si, à mon avis, l'inconscient influence perpétuellement nos choix à sa façon. On peut le comparer à un jardinier, car c'est lui qui sélectionne les semences qui vont pousser et donner des résultats.

Nous prenons toutes nos décisions avec notre esprit conscient, et ce, sous l'influence de nos cinq sens et de notre inconscient. Donc, si ce niveau laisse passer, sans les intercepter, beaucoup de pensées négatives, ce qui va y germer pourrait bien ressembler à de la mauvaise herbe.

Le niveau subconscient, c'est notre banque de mémoire. Tout ce qu'on a vécu y est enregistré: nos souvenirs, nos expériences, nos émotions. Il ne s'occupe aucunement de savoir si nos pensées sont bonnes ou mauvaises, positives ou négatives, et produit dans notre vie les résultats correspondant à ce qu'on va y laisser entrer. En cela, il est comparable à un jardin dans lequel on y sème ce qu'on veut. Il est à noter également que le subconscient n'a aucun sens de l'humour: il est neutre et obéit fidèlement à ce qu'on demande. Fidèle serviteur, il répond selon la nature de nos pensées. Alors, quel type de commande lui faisons-nous?

*Mot d'enfant*
« Dis, maman, est-ce que les kangourous donnent du lait en sac ? »

Ne vous culpabilisez pas avec tout cela, car « chacun fait du mieux qu'il peut au point où il en est rendu ». Évitez de laisser la petite voix en vous dire des choses du genre : « Certains ne sont pas rendus loin, car on attire ce qu'on contemple et on devient ce qu'on critique. »

Apprendre à manipuler aisément ces merveilleux outils que la nature nous a donnés demande un peu d'entraînement, mais donne des résultats fascinants. Comme je l'ai dit précédemment : « Si on avait su mieux, on aurait fait mieux. » Alors, rien ne sert de se reprocher d'avoir créé des situations désagréables sur les plans relationnel ou professionnel. L'important, c'est qu'aujourd'hui on décide de s'impliquer dans son mieux-être, de se voir comme la personne que l'on rêve d'être et d'entretenir mentalement cette attitude. Le subconscient va s'ajuster et favoriser des résultats dignes de nos nouvelles pensées.

Il est à noter qu'environ 90 % des décisions que nous prenons au niveau conscient sont influencées par ce qui est imprimé au niveau subconscient. Il est donc facile de comprendre pourquoi nous devons être à l'écoute de nos pensées et de nos paroles.

Un curé est tombé dans la fosse aux lions. Il a murmuré cette prière : « Mon Dieu, faites que ce lion ait une pensée chrétienne. » Le lion a répondu : « Mon Dieu, bénissez ce repas. »

Voici une situation que vous avez probablement déjà expérimentée. Souvenez-vous d'un moment où vous avez pris la décision de changer de voiture. Vous avez ensuite arrêté votre choix sur un modèle en particulier. Il est fort probable qu'à partir de ce moment-là vous avez davantage remarqué ce modèle sur la route. Que s'est-il passé? Votre subconscient cherchait ce que vous cherchiez, car celui-ci agit comme un radar, toujours prêt à dépister ce qu'on lui demande. Que se passera-t-il si vous vous mettez à la recherche de choses comiques? Ouf, ça promet!

Notre niveau d'intelligence supérieure, pour sa part, constitue la partie spirituelle de notre esprit. Il est le siège de la créativité, des idées de génie, de l'inspiration; c'est notre source de vie. C'est là que nous retrouvons l'intuition pure, que prend racine notre vraie nature, que nous puisons notre force de vie, notre vitalité. C'est le soleil qui alimente notre jardin. C'est également la sagesse en nous, issue de la grande sagesse qui nous offre le merveilleux spectacle de la nature, l'harmonie de l'univers. Cette force, ce principe de vie à la base de

Il fait déjà nuit. Tout le monde dort sauf un cambrioleur qui s'introduit sans bruit dans une luxueuse propriété qu'il croit vide. Il brise une vitre avec dextérité et se dirige tout droit vers la pièce où, d'après ses sources, se trouve le coffre-fort familial. À ce moment-là, il entend derrière lui une voix étrange qui dit: «Tu devrais faire attention, Dieu et Jésus t'observent.» Terrifié, le cambrioleur se retourne et distingue alors dans la pénombre un perroquet en cage. Soulagé, le personnage mal intentionné répète: «Alors, comme ça, Dieu et Jésus me regardent?»

«Oui, ils te regardent en ce moment», répond le surprenant volatile. «Comment t'appelles-tu?», réplique le cambrioleur. «Je m'appelle Nazareth», répond l'oiseau. L'homme éclate de rire et dit: «Quel nom ridicule! Quel est l'idiot qui a pu te donner un nom pareil?» Le perroquet répond: «C'est le même idiot qui a baptisé son pitbull Dieu et son rottweiler Jésus.»

Le métier de pompier en est un où il y a beaucoup d'avancement :
paraît-il que tu montes vite en haut de l'échelle.

tout se trouve en nous et est à notre service. Il ne nous reste qu'à apprendre à l'utiliser pleinement.

Le troisième niveau de notre esprit, c'est la connexion que nous pouvons établir au plus profond de nous. Le rire, la capacité de ressentir le moment présent, la visualisation créatrice, la méditation, la relaxation traditionnelle ou une simple activité qu'on affectionne particulièrement sont notamment des façons d'y arriver. On se doit d'apprendre à être bon avec soi et, à ce sujet, je trouve cocasse la petite phrase suivante : « Se tromper, c'est humain ; se relever, c'est divin ; c'est rester par terre qui est sans dessein. »

Si nous plantons des graines de réussite, de calme, de santé, de prospérité, notre récolte sera de cette qualité. Sinon, les résultats désagréables sont à prévoir. Si on entretient la peur, on attire l'objet de ses peurs ; le doute entraîne les échecs, la culpabilité amène l'autopunition, la méfiance et l'agression. Cela fonctionne aussi dans le sens positif. Si on contemple l'amour, le succès, la joie, la santé et l'abondance, c'est ce qu'on va récolter.

## Comment dynamiser ses pensées

Il faut apprendre à notre esprit conscient (notre jardinier) à arracher toutes les mauvaises herbes (pensées et paroles négatives) et à bien nourrir les bons plants (pensées et paroles positives). Comment choisir ce que vous mettrez dans votre jardin ?

Vous devez simplement devenir le plus attentif possible à ce que vous êtes en train de penser régulièrement. Il s'agit seulement de décider fermement d'appliquer ce truc, puis un simple entraînement de quelques jours, voire de quelques semaines, donnera des résultats. Quand vous réalisez qu'une pensée négative vous passe par l'esprit, dites-vous aussitôt intérieurement : « Annulé », « Dehors » ou toute autre expression ayant une signification semblable et avec laquelle vous êtes à l'aise.

Deux amis marchent dans la forêt. L'un d'eux soulage sa vessie près d'un arbre et une vipère le mord sur le bout du pénis. L'autre prend son téléphone portable et appelle un médecin qui lui dit : « Il faut vite sucer la plaie pour soutirer le venin. » La victime demande : « Alors, qu'est-ce que le médecin a dit ? » « Il a dit que tu allais mourir. »

Le but visé est d'intercepter toute pensée négative et de la remplacer tout de suite par son équivalent positif ou par toute autre expression positive. Par exemple, vous échappez un verre par terre et il se casse. Vous serez peut-être porté à dire : « Je suis vraiment stupide ». Aussitôt, dites-vous intérieurement : « Annulé, je m'aime », « Annulé, ça va faire rire les autres » ou encore « Annulé, ça va me permettre de bouger en le ramassant et ce sera bon pour ma flexibilité ». Ayez un peu d'imagination. Vous pouvez aussi le dire à haute voix si vous le voulez : vous allez probablement provoquer des rires une fois de plus.

Il s'agit là de la partie relative aux pensées négatives. Je me dois de mentionner qu'il est très important d'éviter de les chercher en se disant : « Montrez-vous, pensées négatives, je sais maintenant comment vous chasser. » Erreur, car, à ce moment-là, c'est comme si vous étiez enclin à contempler ces pensées indésirables, et vous attirerez de plus en plus de négatif dans votre vie.

## Comment stimuler les pensées positives

Observez le plus possible le passage des pensées et des paroles positives. Puis, quand vous en avez conscience, dites intérieurement :
« Accepté », « Super » ou toute autre expression relative à cette idée
et avec laquelle vous êtes à l'aise. Donnez-vous la chance d'expérimenter ce truc et vous constaterez à quel point la qualité de vos
résultats sera proportionnelle à votre implication.

En gérant ainsi vos pensées, vous devenez le maître de votre
vie. Si vous achetez une plante, l'arroserez-vous uniquement à l'occasion ou au besoin ? Pour nos pensées, c'est pareil. Il faut s'en occuper
régulièrement. Donc, prenez soin de penser à ce que vous pensez
pendant que vous y pensez ; pensez à cela, c'est un pensez-y bien !

Les pensées sont des ondes qui voyagent et qui nous ramènent
une énergie semblable à celle que nous avons émise, et ce, à une vitesse
supérieure à celle de la lumière, dit-on. Alors, qu'est-ce qu'on veut
magnétiser ? Où est notre point d'intérêt ? Prenez un exemple. Deux
individus s'en vont à une soirée. Imaginez qu'ils ont chacun une
paire de jumelles pour mieux voir ce qui se passe dans les coins de
la salle. Le premier passe tout son temps à regarder un groupe de
gens qui se disputent. Le second observe sans arrêt deux amoureux
qui se font les yeux doux. Chacun retourne chez lui avec sa version
de la soirée : le premier raconte à quel point il a passé un mauvais

La petite histoire suivante porte aussi à réflexion. Un jour, un grand-
père s'était endormi dans sa berceuse. Son petit-fils, voulant lui jouer
un tour, lui mit un morceau de fromage fort dans la moustache. À son
réveil, le vieillard dit : « Ça sent bien mauvais ici ! » Il se leva, fit le tour
de la pièce puis de la maison pour trouver la source de l'odeur
dérangeante. Rien. Il sortit dehors et constata que l'odeur était
toujours là. Il s'écria alors : « Mais c'est le monde entier qui sent
mauvais ! » Morale de cette histoire : notre monde sent la même
chose que nos pensées.

moment et le second affirme que cette sortie lui a fait le plus grand bien. Qu'ont-ils contemplé? Ils étaient pourtant au même endroit.

Même si je parle sérieusement, je ne perds pas de vue l'objectif initial de mon message, soit le rire. Je considère que les pensées positives contribuent à tracer le chemin vers le mieux-être par le rire. Elles favorisent une attitude grâce à laquelle le rire pourra s'exprimer plus librement et nous amener automatiquement à être positifs et à avoir des pensées plus saines. Avez-vous essayé d'être négatif après avoir bien ri?

*Mot d'enfant*
Pourquoi les écureuils ont-ils quatre pattes? Parce que celles d'en avant sont pour courir et celles d'en arrière, pour freiner.

## Petit jeu pour éloigner le négatif et intensifier le positif

La programmation neurolinguistique, cette science du mieux-être, utilise des moyens concrets et donne des résultats rapides. En ce qui concerne la gestion de soi, je vous propose l'exercice suivant, qui pourra devenir un outil quotidien porteur de succès si vous vous amusez à le faire régulièrement.

Trouvez sur votre corps un endroit où vous serez à l'aise d'appuyer lorsque vous recevrez du négatif et un autre pour les fois où vous ressentirez du positif. Le choix de ce petit code secret est laissé à votre discrétion. Vous pouvez choisir de presser votre index droit contre votre pouce droit quand c'est positif et de vous toucher le lobe d'oreille gauche lorsque c'est négatif. L'important est que ce soit discret.

Voici comment cela fonctionne. Lorsque vous êtes exposé à du négatif (paroles, pensées, images, comportements, critiques, etc.), développez le réflexe de faire votre geste secret en disant intérieurement « Rejeté » ou « Refusé ». Lorsque vous recevez quelque chose de positif (un compliment, de l'argent, votre paie, un sourire, une caresse, etc.), faites votre geste secret en prononçant intérieurement « Accepté », « C'est bon », « Oui » ou toute autre expression qui vous dispose favorablement.

Cet exercice est très puissant et, si vous le répétez, il deviendra vite un automatisme porteur de succès. Il vous aidera à vous débarrasser du négatif et à intensifier les effets des bonnes choses. Un tel type d'ancrage est un nouveau conditionnement choisi que l'on transmet à notre cerveau afin de stimuler de nouveaux résultats positifs.

Lili a six ans et commence à pouvoir lire le journal. Elle y apprend que toutes les 30 secondes un homme se fait battre dans une certaine ville. Elle dit à sa mère : « Pauvre lui, il doit être amoché. »

## Rire plus par l'autosuggestion

Comment rire davantage si on se remplit l'esprit de pensées corrompues ? Voilà une question qui justifie qu'on s'attarde un peu à ce sujet.

Vous réalisez sûrement à présent que votre esprit conscient est chargé de protéger votre subconscient des mauvaises impressions. Ce dernier, sensible à la suggestion, ne fait aucune différence entre ce qui a du sens et ce qui n'en a pas. C'est là le rôle du conscient.

Par exemple, si quelqu'un vous dit : « Tu as bien l'air malade ! », vous avez deux choix : ou vous accordez de l'importance à son commentaire en vous cherchant des « bibittes » et en somatisant ou vous en riez et lui dites que son diagnostic est tout à fait faux, qu'il s'est trompé. Imaginez que votre système immunitaire est en grande forme et qu'il empêche tout élément négatif d'approcher. Sentez-vous pleinement fier et heureux d'avoir fait ricocher cette affirmation sans fondement. Une suggestion n'a aucune puissance à moins qu'elle ne soit acceptée par vous. Mais combien de suggestions inutiles peut-on se faire à soi-même ? Évitez surtout de les compter et tentez plutôt de les reconnaître le plus souvent possible pour les transformer positivement. Par exemple, quand quelqu'un se répète souvent : « Ça va mal. C'est ennuyant. J'ai peur de... Les emplois sont rares », qu'est-ce qui est contemplé ? Ce genre de scénario mental entretient l'état suggéré et est reçu comme une commande par le subconscient. Pour de bons résultats sur la voie de la réussite, on se doit d'orienter son esprit, ses pensées vers ce qu'on veut vraiment.

Pour vous aider à harmoniser les principaux domaines de votre vie, il est très efficace de prendre quelques minutes par jour pour vous offrir de bonnes « vitamines mentales ». Voici quelques exemples d'affirmations qui vont vous aider à améliorer votre vie. Répétez-vous-les plusieurs fois par jour, par exemple trois fois le matin, trois fois le midi ou trois fois le soir. Vous pouvez même créer un réflexe qui commandera ces phrases chaque fois que vous irez à la salle de bain.

En les prononçant, prenez le temps de sentir l'effet agréable qu'elles ont sur vous, comme si c'était déjà actuel dans votre vie. Vous donnerez ainsi un signal à votre esprit, lui annonçant ce que vous voulez vraiment et vous lui demanderez, par le fait même, de faire ce qu'il faut pour favoriser l'atteinte de votre bien-être général. Plus vous les garderez en tête, plus vous vous sentirez mieux rapidement.

Un avocat se rend au restaurant pour y manger un steak. Pendant le repas, la serveuse lui demande comment il le trouve. « Il n'est pas coupable », répond-il.

Voici quelques exemples d'affirmations positives.

RIRE : J'ai de plus en plus envie de rire et de m'amuser.
Plus je ris, plus je me sens bien.

CONFIANCE : J'ai maintenant confiance en moi.
Je suis une personne totalement confiante.

VITALITÉ : Je suis de plus en plus en forme.
J'ai de plus en plus d'énergie chaque jour.

PROSPÉRITÉ : J'accepte maintenant de connaître la prospérité dans ma vie.
J'ai de plus en plus d'argent qui arrive de tout bord tout côté.
Je connais maintenant l'abondance sur tous les plans.

SANTÉ : Toutes les cellules de mon corps fonctionnent merveilleusement bien.
Je suis totalement en santé.

AMOUR : Je m'aime tel que je suis.
J'attire maintenant beaucoup d'amour dans ma vie.
Je suis amour.

PENSÉE     C'est facile pour moi de penser positivement.
POSITIVE : Mon langage et mes pensées sont de plus en plus positifs chaque jour.

Créez vos propres autosuggestions positives.

_____

_____

_____

_____

_____

_____

_____

Dans la vie, il y a un escalier qui mène au succès, mais la plupart des gens attendent l'ascenseur.

*J'ai appris ...*

... qu'un sourire est une façon économique d'améliorer mon apparence.

... que l'argent ne peut acheter la dignité.

... que ce sont les petites choses qui signifient le plus.

... que, sous la carapace de chaque personne, se trouve quelqu'un qui a besoin d'être apprécié et aimé.

... que Dieu n'a pas tout fait en un seul jour. Comment le pourrais-je ?

... que d'en vouloir à quelqu'un lui permet seulement de continuer à me faire mal.

... que chaque personne que je rencontre mérite d'être accueillie avec un sourire.

... que si je m'abonne à l'amertume, le bonheur fuira loin de moi.

... que j'aurais aimé dire à un être cher que je l'aimais avant qu'il disparaisse.

... que mes paroles devraient être douces et tendres, sans quoi je pourrais avoir à les regretter demain.

...que le rire est une merveilleuse source de bonheur et que je n'ai qu'à lui ouvrir mon cœur.

... à m'aimer, à jouer et à me faire plaisir tous les jours depuis que je sais tout ça.

Voilà donc un autre truc efficace pour se retrouver sur la voie du mieux-être par le rire. Mettez de l'enthousiasme à vous élever vers un plus grand bien-être et vous vous faciliterez les choses au lieu de voir le changement comme une corvée et d'en faire une montagne. Voyez-vous très grand et puissant face aux problèmes et laissez la chance à votre force de vie de se déployer librement. Comptez 21 jours d'autosuggestion avant que l'habitude se prenne, car c'est environ le temps dont a besoin le subconscient pour créer cette nouveauté. Gardez en tête que vous voulez rire de plus en plus et vous serez agréablement surpris des résultats.

# Chapitre 4

# Le rire
# et le vocabulaire
# du succès

# Le langage, un drôle de piège

Toujours dans l'optique de rire plus, je vous propose quelques prises de conscience basées sur notre langage de tous les jours.

Afin de mieux gérer ce qu'on laisse entrer dans son subconscient, il est amusant de réaliser l'impact négatif que peuvent avoir certains mots fréquemment utilisés. La plupart des gens ignorent que plusieurs expressions dites innocemment peuvent leur jouer de vilains tours car, répétées souvent, elles sont enregistrées comme une commande par notre subconscient qui, comme on le sait, cherche à matérialiser ce qu'il reçoit. Voici un exemple qui m'a été raconté par un psychologue. Un jour, une jeune fille avait des maux de ventre très souffrants. C'était comme si tout se tordait dans son abdomen, mais les médecins ne trouvaient rien. Puis, elle a eu l'occasion de rencontrer quelqu'un qui a observé une particularité dans son langage. Elle disait souvent : « Ah ! ça me fait tordre quand tu dis ça », « Aïe ! c'est tordant, ça », « Quand mes parents font cela, ça me fait tordre », etc. Le réalisant, elle mit fin à ses douleurs. Quel message envoyait-elle à son esprit, à son corps ? Cet exemple parle par lui-même.

Je vous propose une courte liste de ces expressions qui peuvent créer certains désagréments. Vous constaterez que certains mots peuvent engendrer certains maux. Chaque expression crée une image et cette réalité est très puissante en ce qui concerne la gestion de la pensée et l'impression sur le subconscient.

- Je suis assez fatigué !
- Ça me tape sur les nerfs !
- Ça me pèse sur le dos !
- Ça me met le feu au derrière !
- Ça me rend malade !
- Ça m'éreinte !

- Ça me fait suer!
- Je pète le feu!
- Je me fais de la bile!

Ces expressions sont-elles source de positif? Non, bien sûr. Je vous suggère un autre petit truc: il est souhaitable de s'exprimer en disant ce que l'on veut plutôt que ce que l'on ne veut pas. Par exemple, si vous dites à un enfant «Ne monte pas là!» ou «Ne touche pas à cela!», qu'est-ce qu'il fera? Exactement le contraire, la plupart du temps. Si je vous dis «Ne pensez pas à un cheval blanc», à quoi avez-vous dû penser pour savoir à quoi ne pas penser? À un cheval blanc, évidemment. Que se passe-t-il?

Quarante pour cent des accidents sont provoqués par l'alcool. Cela veut dire que 60 % des accidents sont causés par des buveurs d'eau. C'est énorme!

En tout temps, il est préférable d'utiliser une formule affirmative. Si on reprend l'exemple de l'enfant, on doit plutôt lui dire «Descends de là, il y a des clous très piquants et tu pourrais te faire mal» ou «Non, c'est chaud et tu pourrais te brûler».Vous êtes affirmatif et en plus vous lui donnez une explication. Vous avez deux fois plus de chances que votre intervention soit efficace. Alors, que fait notre esprit avec ces formules? Eh bien! il ne peut manipuler les «ne pas».

Quel est le comble de la vengeance? Mettre de la poudre à gratter sur un maringouin.

Si on vous dit «N'oublie pas d'apporter du lait ce soir après le travail», que se passe-t-il? On vous a suggéré d'oublier. La formule utilisée aurait dû être: «Souviens-toi». Mais combien de fois exprimons-nous ce que nous ne voulons pas? Après, nous sommes surpris d'avoir des résultats bizarres.

Voici une autre liste qui va vous amener à vous écouter parler davantage et à réaliser à quel point on s'exprime par la négative.

| Expressions à changer | Dire plutôt |
| --- | --- |
| Je ne veux pas une voiture à problèmes. | Je veux une voiture en très bon état. |
| Ce n'est pas grave. | C'est correct. |
| Pas pire. | Assez bien. Bien. De mieux en mieux. |
| Si jamais... | Si toutefois... |
| Pas de problèmes. | Ça va. C'est d'accord. |
| Ça vaut la peine. | Ça vaut l'effort, le déplacement. |
| Je vais essayer d'aller mieux. | Je décide maintenant d'aller mieux. |
| Il faut que... | Je choisis de... |
| C'est l'enfer. | C'est merveilleux. |
| Se gâter. | Se faire plaisir. |
| Je n'ai pas peur. | Je me fais confiance. |
| Je ne ferai pas comme ma mère. | Je fais de mon mieux. |
| C'est écœurant! | C'est super! C'est génial! |
| J'espère que... | Je veux que... |
| Lâche pas! | C'est beau, continue! |
| Je ne me mets pas de barrière. | Je vais de l'avant. |

## Exercice

### Quelles sont vos expressions ?

Dressez une liste des mots ou expressions que vous utilisez pour décrire vos émotions lorsque les choses vont mal et quand elles vont bien. Pensez ensuite aux nouveaux termes que vous pourriez employer à la place. Vous pouvez même choisir des tournures comiques, si ça vous plaît. Vous pouvez aussi dynamiser le langage positif que vous utilisez déjà, par exemple « C'est magnifique ! » au lieu de « C'est beau ». Même là, on peut en profiter pour s'amuser.

*Expressions démotivantes*

Je suis à bout de nerfs.

_____

_____

_____

_____

_____

*Expressions stimulantes*

Je suis très en demande.

_____

_____

_____

_____

*Termes ordinaires*

C'est bon.

_____

_____

_____

_____

_____

*Termes plus stimulants*

C'est délicieux, j'adore ça !

_____

_____

_____

_____

_____

Prenez plaisir à ensoleiller progressivement votre langage. Par exemple, choisissez une ou deux expressions différentes chaque semaine ou chaque jour, à votre goût. L'important, c'est de réaliser que c'est un autre truc efficace pour améliorer vos résultats.

Vous pourriez même faire une petite expérience. Lors d'une discussion familiale, laissez un magnétophone en marche à proximité et réécoutez la conversation par la suite. Vous y reconnaîtrez les différentes expressions de chacun ou les « ne pas ».

Bref, des changements extérieurs apparaissent dans votre vie quand des changements intérieurs se sont produits.

## Comment se servir du questionnement positif

Anthony Robbins a mis au point ce qu'on appelle aujourd'hui les questions d'excellence. Elles constituent une méthode simple et efficace pour activer nos ressources intérieures. Vous pouvez par exemple vous demander:

- « Qu'est-ce qui fait que je ris de plus en plus? » ou « Qu'est-ce qui fait que je prends de plus en plus plaisir à accomplir toutes mes

*L'amour dans le noir*
Un couple un peu bizarre est marié depuis 20 ans. Chaque fois qu'ils font l'amour, le mari insiste pour que ce soit dans l'obscurité. Après tout ce temps, la femme commence à trouver cela ridicule.
Elle décide donc de casser cette manie. Un soir, alors que nos amoureux sont au beau milieu de leurs ébats, elle allume la lumière. Elle regarde vers le bas et voit que son mari tient à la main un objet vibrant, doux et un peu plus long qu'un vrai sexe. « Hypocrite, s'écrie-t-elle. Comment as-tu pu me mentir toutes ces années? » Son mari la regarde droit dans les yeux et lui répond: « D'accord! Je t'explique pour le jouet et tu m'expliques pour les enfants! »

activités?» En expérimentant cet outil, évitez de chercher consciemment une réponse. Vous n'avez qu'à vous poser fréquemment la question ou encore à l'écrire et à la placer à la vue. Votre esprit attirera et reconnaîtra les solutions.

- Vous pouvez faire cela dans tous les domaines de votre vie, par exemple sur le plan financier : «Qu'est-ce qui fait que j'attire maintenant de plus en plus de clients?», «Qu'est-ce qui fait que j'ai maintenant le travail qui me convient le mieux, qui correspond à mes goûts et pour lequel je suis très bien rémunéré?», «Qu'est-ce qui fait que j'ai de plus en plus d'énergie?» Je vous souffle une réponse : peut-être que vous riez de plus en plus, que vous racontez des blagues répertoriées dans votre catalogue de choses comiques, etc.

- Si vous vous dites «Qu'est-ce qui fait que j'ai de plus en plus d'énergie?», que devez-vous contempler? Vous n'avez même pas à chercher consciemment la réponse. Le fait de répéter cette question donne un signal à l'esprit pour qu'il se tourne vers ce qui va vous amener à avoir plus d'énergie. Si vous le voulez, vous pouvez proposer des réponses, mais le jeu est encore plus simple que cela, car la seule question, souvent répétée, va servir à stimuler la recherche positive dans le subconscient et à attirer la matérialisation de la demande sur les plans physique et matériel.

Notre vie est une série de questions et de réponses. Mais de quelle nature sont les questions que nous nous posons? Sont-elles constructives ou destructrices pour nous? Notre esprit est comme un ordinateur (principalement le subconscient) et il est toujours à notre service. Peu importe la question que nous lui soumettons avec

Ma grand-mère prend tellement de médicaments que lorsqu'elle éternue, elle guérit quelqu'un.

Un couple assez coloré était habitué à se parler assez crûment. Un jour, le mari dit à son épouse: «Je te regarde et sais-tu que tu as les fesses rendues aussi larges que le barbecue?» Elle ne réplique pas sur-le-champ. Le soir venu, au lit, le mari met sa main sur la cuisse de sa femme et commence à la caresser. Elle tourne la tête et lui dit: «Arrête ça tout de suite. Si tu penses que je vais partir le barbecue juste pour une petite saucisse!»

insistance, il nous fournira une réponse à plus ou moins long terme. Notre cerveau, c'est un génie prêt à nous servir. Qu'elle soit positive ou non, il livre la commande que nous lui avons faite, consciemment ou inconsciemment.

Nous sommes responsables de notre vie et s'en rendre compte est la plus belle chose qu'un être humain puisse vivre. Quand il a réalisé cela, il peut réellement s'épanouir, faire les correctifs nécessaires et jouir de la vie pleinement. Il arrête de blâmer les éléments extérieurs comme les autres ou la maladie et va en dedans de lui pour trouver la source de l'amélioration désirée.

Une dame appelle à l'école pour savoir si son fils est arrivé, compte tenu du fait qu'il y a une grosse tempête de neige. La secrétaire lui demande quel est le nom de son professeur. «Mon fils n'a pas de professeur, c'est le chauffeur d'autobus», répond-elle.

Voici quelques modèles de questions qui stimulent les solutions.

- Qu'est-ce qui va m'arriver de merveilleux et de comique aujourd'hui ?

- Qu'est-ce qui fait que j'ai un poids santé, la taille que je veux et du goût, de l'appétit seulement pour ce qui me convient parfaitement bien ?

- Qu'est-ce que je peux manger de léger qui va me donner beaucoup d'énergie ?

- Qu'est-ce qui fait que j'ai de plus en plus d'argent qui m'arrive maintenant de tout bord tout côté ?

- Qu'est-ce qui fait que je me sens calme, confiant et en paix ?

- Qu'est-ce qui fait que je suis toujours au bon endroit au bon moment ?

- Qu'est-ce qui fait que je réussis de mieux en mieux dans tout ce que j'entreprends ?

- Qu'est-ce qui fait que j'attire à moi des amis sincères ?

- Qu'est-ce qui fait que je comprends de mieux en mieux mes enfants, mes parents, etc. ?

- Qu'est-ce qui fait que je m'entends de mieux en mieux avec tout le monde ?

- Qu'est-ce qui fait que je suis de plus en plus de bonne humeur ?

- En couple : Qu'est-ce qui fait qu'on s'aime de plus en plus ?

- Qu'est-ce qui fait que mon conjoint et moi sommes maintenant parfaitement compatibles ?

- Qu'est-ce qui fait que je cesse de remettre à plus tard ce que j'ai à faire ?

- Qu'est-ce qui fait que j'ai de plus en plus de facilité à entreprendre de nouvelles choses ?

- Qu'est-ce qui fait que je m'aime de plus en plus ?

- Qu'est-ce qui fait que je ris maintenant de plus en plus ?

- Qu'est-ce qui me rend heureux maintenant ?

## Exercice

### Personnalisez vos questions d'excellence

Laissez aller votre crayon. Personnalisez et créez vos propres questions d'excellence. Retenez-en une en particulier à laquelle vous accorderez votre attention pendant quelque temps, puis une deuxième, etc.

_____

_____

_____

_____

_____

_____

*Ton avenir*

Il y a en toi toutes les possibilités, tout ce que tu voudrais être, toute l'énergie pour accomplir ce que tu veux réaliser. Imagine-toi tel que tu aimerais être, faisant ce que tu aimerais faire et, chaque jour, avance d'un pas vers ce but. Et même si, parfois, il te paraît trop difficile de continuer, tiens à tes rêves. Un beau matin, tu te réveilleras et tu découvriras que tu es devenu la personne que tu voulais être, simplement parce que tu auras eu le courage de croire en toi et en tes rêves.

*L'argent*

Il était une fois un homme très avare. Il avait travaillé toute sa vie pour accumuler de l'argent et l'aimait plus que tout. Avant de mourir, il dit à sa femme de mettre tout son avoir dans son cercueil, que ce serait pour sa vie après la mort.

À contrecœur, sa femme lui en fit le serment et, peu de temps après, il mourut. Juste avant qu'on ferme le cercueil, la veuve dit: «Un moment, s'il vous plaît.» Elle prit alors une boîte et la déposa près de la dépouille. Un ami de la famille lui dit: «J'espère que tu as été assez intelligente pour ne pas mettre tout son argent là-dedans tel qu'il te l'avait demandé.» «Comme je suis une bonne personne, je ne pouvais revenir sur ma parole, dit-elle, alors j'ai fait un compromis et je lui ai fait un chèque à la place.»

# Chapitre 5

# Le rire et la confiance en soi

## Comment améliorer la confiance en soi

Quel sujet! Depuis que j'enseigne le mieux-être, j'ai pu constater, sondages à l'appui, que près de 85 % des gens disent avoir besoin d'augmenter leur confiance en eux de façon significative. La grande question qui se pose est la suivante : « Comment y arriver ? »

Le rire fait inévitablement jaillir la confiance en soi. Pensez à un moment où vous étiez dans une atmosphère de fête. Vous avez sûrement fait des choses cocasses que vous n'auriez jamais osé faire à d'autres moments. Le rire donne de l'audace et nous fait sentir plus forts. Commencez par vous exercer dans les petites choses du quotidien en ayant du plaisir. Voici quelques exemples.

- Demandez l'heure à un étranger même si vous portez votre montre ; prenez soin de la cacher avant…

- Allez essayer des vêtements luxueux, juste pour provoquer une certaine « audace » positive et pour le plaisir de stimuler l'attrait de la prospérité.

- Félicitez-vous de vos petites et grandes victoires.

- Côtoyez des gens optimistes.

- Dans une réunion, quittez les lieux le premier et passez dans l'allée centrale.

- Voyez-vous égal aux autres.

- Choisissez des lectures motivantes, en lien avec vos objectifs. Bravo, c'est ce que vous êtes en train de faire!

- Pensez aux moments dans votre vie où vous vous êtes senti totalement confiant et réactivez cette énergie.

- Anticipez toujours la réussite de ce que vous entreprenez.

- Rejetez la peur de la pauvreté, de l'échec sous toutes ses formes en croyant fermement à la réussite dans tous les domaines : travail, famille, santé, amour, etc. Celui qui gagne est celui qui sait qu'il peut et qu'il va gagner.

- Évitez de dire « Je vais essayer » et favorisez l'action.

- Regardez-vous dans le miroir avec amour et admiration, donnez-vous des bisous, des petits becs sur les bras, avec le sourire.

- Ayez une posture droite et dynamique. Je dis aux gens en salle : « Imaginez le célibataire qui va à la discothèque espérant faire une rencontre intéressante. Imaginez qu'il y entre le dos rond, le pas hésitant et "le sourire en dessous du bras". A-t-il les atouts pour susciter l'intérêt ? Est-ce qu'il s'intéresse lui-même ? » Commencez par vous courtiser en premier. Je me souviendrai toujours d'une dame de forte taille qui m'a dit un jour dans un groupe : « J'ai adoré le truc qui m'a amenée à me regarder dans le miroir avec amour. Maintenant, je m'y regarde avec le sourire et je me dis : "Je m'aime et je me désire". » Les gens ont bien ri en voyant son expression, mais son message était très pertinent.

- Mettez en pratique ce que vous savez. Quelqu'un aura beau se documenter énormément, si rien n'est mis en pratique et s'il n'a pas le courage d'être heureux, il aura de la difficulté à atteindre ses rêves.

- L'autosuggestion peut une fois de plus vous aider. Par exemple, si vous voulez stimuler la confiance, visualisez-vous comme une personne totalement confiante, avec le sourire. Qu'est-ce que vous faites maintenant que vous êtes devenu cette personne totalement confiante ? De quoi avez-vous l'air ? Comment vous sentez-vous ? J'ai personnellement utilisé cette méthode vers mes 18 ans

Un jour, je suivais un automobiliste qui avait placé cet écriteau sur son pare-chocs arrière : « Danger, je conduis aussi mal que vous. »

Tout le monde s'interroge sur la vie du plus vieil homme du village, car il porte un crochet à la place d'une main et est aveugle d'un œil. Un enfant lui posant la question, il explique qu'il s'est fait manger la main par un crocodile il y a 25 ans. «Mais pourquoi avez-vous un cache-œil?» poursuit le petit. «Ça, c'est encore plus terrible. Un bon matin, un maringouin m'a piqué sur une paupière et j'ai oublié que j'avais un crochet», répond l'homme.

alors que j'avais encore besoin de faire grandir cet atout en moi. D'ailleurs, on n'arrête jamais vraiment. J'ai utilisé la petite phrase suivante, qui a fait des merveilles pour moi: «Je suis maître de moi en toutes circonstances.» Vous pourriez ajouter: «Et je suis totalement à l'aise avec toute personne dans toute situation.» Vous pouvez vous la répéter plusieurs fois par jour, l'inscrire là où vous aurez la chance de la voir souvent (salle de bain, bureau, portefeuille, réfrigérateur, etc.).

- Je vous en propose quelques autres à titre de suggestions mais, une fois de plus, je vous encourage à créer les vôtres: nul ne sait mieux que soi ce qui est bon pour soi. Chaque être humain est capable de dénouer ce qu'il a noué.

- J'ai pleinement confiance en moi!

- Je suis maintenant une personne très confiante!

- Je suis de plus en plus à l'aise dans toutes les situations et avec tout le monde!

- Le meilleur outil contre la déprime, celui qui provoque un bon sentiment de confiance, d'enthousiasme, d'estime de soi, vous l'avez deviné, c'est le rire. Il illumine votre visage et votre cœur et attire, en plus, des gens heureux autour de vous.

*Mot d'enfant*
« Dis, maman, quand on meurt, est-ce que c'est pour la vie ? »

Vous pouvez jouer à vous répéter ces affirmations positives avant de vous endormir ou à tout autre moment qui vous est favorable. L'avantage de le faire au coucher, c'est qu'on peut s'endormir dessus et que le subconscient peut continuer de les garder actives en n'étant pas dérangé par les va-et-vient du mental. Si vous êtes attentif, vous remarquerez avec le temps que la première pensée qui va vous venir à l'esprit au réveil sera celle avec laquelle vous vous serez endormi.

La confiance en soi, c'est le véhicule d'une personnalité épanouie et heureuse. Voici quelques avantages qu'on peut en retirer.

- Arrêter de rougir facilement.

- Se sentir mieux avec soi et les autres, arrêter de se sentir rejeté.

- Oser dire son opinion et prendre sa place.

- Facilite les communications, les rencontres.

- Chasse la timidité.

- Permet de cesser de subir négativement et émotivement l'effet des platitudes qui peuvent nous être dites.

- Amène à prendre des décisions plus facilement.

- Aide à être en accord avec soi.

- Facilite l'action et l'initiative.

- Aide à être moins nerveux, moins agressif, plus sûr de soi.

En résumé, pour avoir confiance en soi, il faut croire en soi, en ses capacités, en ses possibilités et aussi respecter ses limites. Il est essentiel de mieux se connaître et de mieux se comprendre. Avoir

Un chauffeur de taxi : « Ça fait 12 $, monsieur. » Son client : « Reculez un peu, j'ai juste dix dollars. »

des buts motivants et agréables vous aidera aussi à stimuler la découverte de ce trésor qui ne demande qu'à être révélé. Parfois, la seule certitude que les gens ont, c'est d'être dans le doute.

L'exercice suivant vous aidera à réaliser comment vous procédez pour vous rassurer.

**Exercice**

## Comment procédez-vous pour vous rassurer ?

Cochez spontanément toutes les affirmations dans lesquelles vous vous reconnaissez.

Je me rassure à travers …

- l'argent. J'économise pour plus tard, car j'ai besoin de m'assurer que je n'en manquerai pas.          oui ___ non ___
- la propriété d'un lieu, mon appartement, ma maison.          oui ___ non ___
- l'amour. J'ai besoin de sentir que quelqu'un m'aime.          oui ___ non ___
- mon besoin de sentir que j'aide les autres.          oui ___ non ___
- mon conjoint. Sans lui, je ne serais rien.          oui ___ non ___
- ma confiance en moi.          oui ___ non ___
- mes parents.          oui ___ non ___
- mes amis. Je veux être le moins seul possible.          oui ___ non ___
- le téléphone. Je veux toujours pouvoir être joint.          oui ___ non ___
- mes valeurs et mes croyances spirituelles.          oui ___ non ___
- des temps de réflexion seul avec moi-même.          oui ___ non ___

- des ateliers de ressourcement. oui ___ non ___
- ma réussite professionnelle. J'ai besoin d'être reconnu. oui ___ non ___
- mes performances physiques, car j'aime me dépasser toujours plus. oui ___ non ___
- l'estime que je me porte. oui ___ non ___
- ma beauté et mon apparence générale. (Ai-je toujours besoin d'avoir un peigne dans mes poches ou suis-je hanté par quelques poils superflus qui risqueraient d'être apparents?) oui ___ non ___
- les diplômes. oui ___ non ___
- mon pouvoir de séduction. oui ___ non ___
- mes activités bénévoles. oui ___ non ___
- la cigarette. oui ___ non ___
- la non-transparence. Je mens pour éviter les problèmes. oui ___ non ___
- l'alcool. C'est triste un repas sans vin. oui ___ non ___
- l'activité continue, car j'ai de la difficulté à supporter l'inaction. oui ___ non ___
- la nourriture. oui ___ non ___
- la télévision, la radio. J'ai besoin d'un fond sonore. oui ___ non ___
- l'être merveilleux que je suis. oui ___ non ___
- autres:

_____

_____

_____

_____

_____

Quelles affirmations avez-vous cochées ? Est-ce que vous puisez votre confiance en vous-même en utilisant des forces intérieures ou extérieures ?

Est-ce que votre sentiment de sécurité dépend uniquement de vous ou, au contraire, avez-vous absolument besoin des autres ?

Cet exercice n'utilise pas de pointage, car il ne vise qu'à vous faire prendre conscience de votre façon de vous ressourcer et de vous rassurer. Plus vous avez confiance en vous, plus vous êtes disponible pour aller vers les autres, pour créer de nouvelles choses au lieu d'être trop occupé à vous tester et à attendre que les autres confirment votre valeur personnelle. Pour optimiser votre sentiment de sécurité, vous devez retrouver le contact avec vous-même.

Deux sardines se promènent quand soudain elles voient un sous-marin. « Tiens, des humains en conserve. »

Voici un bref tableau comparatif des comportements engendrés par deux attitudes opposées : l'insécurité et la confiance.

| *Insécurité* | *Confiance* |
|---|---|
| Perdant | Gagnant |
| Dépendant | Autonome |
| Demande, attente, passivité | Action et don de soi |
| Besoin de toujours gagner | Il « est », tout simplement |
| Fuite devant la souffrance (se sent victime) | Acceptation, lâcher-prise et recherche de solutions |
| Rigidité | Souplesse et flexibilité |
| Carapace et protection défensive | Ouverture et partage |

| | |
|---|---|
| Angoisse et peur | Courage, mise en action |
| Mépris de soi et impuissance | Respect et estime de soi, puissance intérieure |
| Inconsistance, inconstance | Cohérence, constance |
| Vide intérieur | Plénitude |

Cessez de vous identifier à une étiquette. Si j'ai dressé ce tableau, c'est tout simplement pour vous faire voir comment on se dénigre soi-même trop fréquemment. Ces quelques mots doivent vous servir à ouvrir les volets de votre conscience pour y laisser entre le soleil. Évitez à tout prix de les transformer en jugement. Voyez-y tout l'avantage d'opter pour une attitude de gagnant qui vous permettra de vous propulser vers les plus hauts sommets.

Un jour, un couple, dont la femme et le mari étaient âgés respectivement de 92 ans et 96 ans, se présente chez un avocat afin de divorcer. L'homme de loi leur demande d'un ton intrigué : « Mais pourquoi ne pas l'avoir fait avant ? » « Nous voulions éviter de faire de la peine à nos enfants, alors nous avons attendu qu'ils soient tous décédés », répondent-ils.

Vous pouvez faire ressortir vos qualités, vos forces intérieures, car elles ne demandent qu'à émerger, et le rire vous offre une option de départ tout à fait géniale. Commencez à rire le plus vite possible, car le meilleur moyen de commencer à être heureux, c'est de commencer maintenant.

Voici trois questions magiques pour favoriser la confiance en vous.

Que feriez-vous si vous aviez pleinement confiance en vous (activités, réalisation)?

---

---

---

---

---

Comment vous sentiriez-vous si vous aviez pleinement confiance en vous?

---

---

---

---

Qu'est-ce qui fait que vous avez pleinement confiance en vous?

---

---

---

---

Un nageur un peu dépressif s'inscrit pour faire la traversée d'un lac. Rendu à mi-chemin, il se dit: « Je n'aurai jamais assez d'énergie pour me rendre au bout. » Alors, il fait demi-tour pour regagner la rive.

## Jouez

Le jeu coopératif comique me sert énormément pour aider les gens à développer rapidement leur confiance en eux. Il me sert à aider les gens à mettre en pratique les notions apprises afin d'accélérer et de maximiser les résultats. Cette approche est très concluante. Je vous en donne un exemple. Pour développer la confiance en soi, rien de mieux que de faire des choses différentes en s'amusant et en riant. Ainsi, la barrière de la logique et des systèmes de défense du mental tombe et la nouvelle notion s'intègre beaucoup mieux.

Le jeu suivant fait des merveilles et les participants s'amusent beaucoup. Je mets de la musique très rythmée et j'invite les gens à se regrouper dans un coin de la salle. Lorsque je dis, par exemple, « cognac », ils commencent à danser en couple. Si je dis « limonade », les danseurs doivent changer de partenaire, et si je répète encore limonade, un autre changement doit être fait. Lorsque je redis « cognac », ils doivent revenir au partenaire de départ.

Ce type d'activité permet de transgresser des interdits et de dépasser le seuil de la retenue. Le jeu est porteur de mieux-être. Les objectifs pédagogiques demeurent la ligne directrice absolue sauf que les moyens sont bien différents de ce qu'on est habitué à voir. Voilà ce qui fait l'immense succès de l'approche.

Les participants adorent et en redemandent. Occasionnellement, j'organise aussi des soirées thématiques où chacun peut venir coiffé d'un chapeau original ou d'une casquette. J'en vois de toutes les couleurs, c'est le cas de le dire : de petits parapluies tenus sur la

Deux copines discutent. « Moi, j'aime mieux aller en vacances à la mer qu'à la montagne. » « Pourquoi ? » demande l'autre. « Quand tu te perds, on t'envoie un beau jeune homme, pas un saint-bernard », répond-elle.

*Le cerf-volant*

Par une belle journée d'été, un père et son fils faisaient voler leur cerf-volant, le sourire aux lèvres. La température était belle. Puis, de gros nuages se formèrent et le ciel devint de plus en plus noir, si bien qu'on ne voyait plus le cerf-volant de l'enfant (le père ayant rangé le sien). Le père demanda à son fils : « Es-tu certain que ton cerf-volant est toujours là ? » « Oui, papa », répondit-il. Les nuages se firent de plus en plus menaçants et quelques gouttes de pluie commencèrent à se mêler aux bourrasques de vent. Ne voyant plus le cerf-volant, le père demanda à nouveau : « Avec le temps qu'il fait, es-tu certain que ton cerf-volant est toujours au bout de ta ficelle ? » « Oui, papa, je ne le vois plus, mais je sais qu'il est là, je le sens tirer sur ma ficelle. »

Quand nos cœurs et nos pensées sont dans les nuages noirs et qu'il y a des bourrasques, quand le doute, le découragement nous gagnent ou quand notre foi est chancelante, tirons sur cette ficelle qui nous relie à la sagesse universelle en nous et nous aussi, nous sentirons sa présence vibrante.

tête à l'aide d'un cerceau, des casques de pluie, de construction, des perruques, des bonnets de bain. On rit aux larmes. Curieusement, ce sont souvent les plus timides qui nous étonnent le plus et qui se surprennent le plus eux-mêmes. C'est un tournant dans leur vie et un tremplin vers l'humour au quotidien. Le rire est libérateur et donne le goût de se dépasser sans jugement ni raisonnement.

Si vous avez de jeunes enfants, jouez avec eux, n'attendez pas qu'ils soient trop grands pour dire : « J'aurais donc dû... » Vous vous ferez aussi du bien si vous vous donnez le droit d'être un enfant. Le jeu et l'enfant nous ramènent en nous. Quand on se retrouve dans une salle d'attente chez le dentiste, par exemple, et qu'un petit enfant joue, tous les yeux sont sur lui et les sourires jaillissent. L'enfant est vrai, il se moque de ce que les autres pensent ; il est confiant, il s'amuse, un point c'est tout. Et nous? Notre réaction est de dire: «Arrête donc de faire des niaiseries, tu n'es plus un enfant.» Mais est-ce faire des niaiseries que de s'amuser et de lâcher son fou, c'est-à-dire se donner le droit de s'éclater, de rire, de festoyer sans raison précise? S'il vous plaît, aimez-vous assez pour utiliser le rire comme agent de prévention des maladies et de la morosité. C'est gratuit et régénérant pour le corps, le cœur et l'esprit. Vous verrez votre confiance en vous grandir rapidement à votre insu.

C'est pourquoi je vous encourage à mettre de l'agrément et des réjouissances dans votre vie, à réapprendre à jouer, et ce, sans culpabilité.

Valorisez vos différences et persévérez!

1. Si l'on se compare aux mannequins vedettes, nous pouvons presque tous et toutes considérer que nous sommes des monstres. Leurs photos sont retouchées, le maquillage est omniprésent et abondant, etc. Pourquoi envier des artifices? Certes, il y a des personnes plus choyées que d'autres par la nature, mais est-ce que cela fait leur valeur? Je vous laisse répondre.

2. Soyez acteur de votre anatomie. Vous êtes propriétaire de votre corps et, à ce titre, vous êtes le seul à avoir des droits sur lui. Alors, faites-vous du bien.

3. C'est la particularité d'un individu qui fait son charme bien plus que sa conformité à un modèle standard.

4. Vous pouvez écrire «Je m'aime» dans votre rétroviseur ou votre miroir de salle de bain. Toute autre phrase susceptible de vous faire du bien, par exemple «Je suis de plus en plus confiant», est aussi recommandée.

5. Le manque de confiance en nous et en nos capacités devient vite une source de stress renouvelée et nous devons l'éliminer le plus possible, car ce sont de petits nuages inutiles que nous traînons. On se doit absolument de se féliciter de ses succès.

6. Il est toujours temps d'avoir une enfance heureuse.

7. En vous levant le matin, demandez-vous: «Qu'est-ce qui va m'arriver de merveilleux, de fantastique et d'extraordinaire aujourd'hui?»

8. Créez la fête autour de vous, allez rire en groupe, chantonnez, dansez sans retenue. Si on répète toujours les mêmes gestes, on ne peut maîtriser que ceux-là, alors mieux vaut s'habituer à intégrer de la nouveauté dans nos journées.

9. Trouvez un sens à votre vie et osez vivre vos passions, car elles alimentent la vitalité et la créativité. Créez des objets décoratifs en bois, des arrangements de fleurs séchées, faites de la peinture sur bois, écoutez de la musique, marchez en forêt et humez les mille et un parfums, observez les oiseaux, offrez-vous de bonnes lectures, écrivez, dansez, etc. Prenez du temps pour vous, car personne ne le fera à votre place.

10. Ayez la volonté de réussir. Comme l'écrit Anthony Robbins dans son livre *De la part d'un ami*, ceux qui connaissent la chaîne de restaurants née de la recette de poulet du colonel Sanders seront peut-être surpris d'apprendre que ce fut seulement à sa 1009$^e$ présentation qu'il réussit enfin à faire accepter sa fameuse recette de poulet frit à la Kentucky qui, aujourd'hui, est devenue un succès international immense. À un âge avancé et sans le sou, il avait une chose en tête : atteindre son but. Deux ans plus tard, il avait réussi.

Tout le monde sait que les buts sont essentiels à la vie comme un gouvernail l'est pour un bateau.

11. Félicitez-vous de vos succès.

Un homme un peu simplet va voir son copain, tout fier, et lui dit : « Je viens de terminer un casse-tête et ça m'a pris seulement six mois. » Son copain lui répond : « Tu ne trouves pas que c'est un peu long ? » « Ah non, sur la boîte, c'était écrit : De 4 à 6 ans. »

## Exercice

### Les 100 buts

Pour vous aimer davantage et augmenter votre confiance en vous, faites l'exercice suivant, qui est très efficace.

Prenez quelques feuilles et un crayon. Écrivez 100 choses qui vous feraient plaisir, peu importe le prix, c'est un jeu. Il peut s'agir d'un grand rêve, par exemple un voyage autour du monde, ou tout simplement d'une crème glacée à la cantine du coin. Il se peut qu'après le soixantième choix vous sentiez que vous manquez d'idées. C'est correct, laissez traîner la feuille et ajoutez des choses au jour le jour, ou passez à l'étape suivante si vraiment vous bloquez complètement.

Le but est de remplir votre cerveau de nouveaux signaux positifs. En vous concentrant sur autant de belles et bonnes choses, sans considérations économiques, vous provoquerez une ouverture sur l'abondance. C'est un peu comme si votre cerveau disait : « Je devrai me réajuster, car les commandes sont en train de changer. » Des buts bien définis donnent inévitablement des résultats positifs, mais encore faut-il savoir ce que l'on veut vraiment pour l'obtenir.

Lorsque votre liste sera terminée, gardez seulement 10 des 100 choix, les plus pertinents selon vous. Réduisez ensuite le nombre à trois, puis à un seul. Vous saurez alors ce qui est le plus important pour vous actuellement, ce pour quoi vous devriez dépenser le plus d'énergie. C'est un exercice extraordinaire, un cadeau à se faire.

*Note :* Au cas où vous seriez tenté de commencer directement avec les dix choses qui vous semblent les plus pertinentes, dites-vous que vous passeriez totalement à côté de l'objectif : susciter mentalement une invasion massive de belles choses. Alors, allez-y, vous êtes capable, faites-vous confiance et pensez à garder le sourire.

Un jour, les gens d'un village se réunissent chez le curé afin de demander une messe spéciale pour avoir de la pluie, car la sécheresse compromet les récoltes. Le prêtre convoque ses paroissiens pour le lendemain matin à 10 h. Rendus à l'église, les gens constatent que le curé semble déçu et fâché. Il leur dit alors : « Vous me demandez de vous aider à avoir de la pluie et personne n'est venu ici avec son parapluie. »

12. Affirmez-vous. Par exemple, si un ami vous prie de garder son bébé, vous pouvez répondre non si ça ne vous convient pas au lieu de maugréer par la suite parce que vous ne vous êtes pas écouté.

13. L'estime de soi est fondée sur la façon dont on perçoit ses capacités et sa valeur en tant qu'être humain. Les personnes qui se déprécient sont souvent timides, anxieuses et déprimées. Elles ont une mauvaise opinion d'elles-mêmes et n'ont pas confiance en leurs capacités.

14. Lorsqu'on manque de confiance en soi, on a tendance à penser que l'on n'intéresse personne, ce qui est faux.

15. Ayez une attitude positive à votre égard et acceptez les compliments.

16. Admettez que tout le monde fait des erreurs. Quand vous en faites une, évitez de vous rabaisser et dites-vous que vous avez fait de votre mieux dans les circonstances.

17. Soyez capable de vous secouer dans la tourmente. Voici une belle histoire qui fait réfléchir.

Plus on a confiance en soi, moins on a besoin de se « péter les bretelles » pour tenter de se revaloriser.

*L'âne du fermier*

Un jour, l'âne d'un fermier tomba dans un puits. L'animal gémissait pitoyablement depuis des heures et l'homme se demandait quoi faire. Finalement, il décida que la bête était vieille et que le puits devait disparaître de toute façon.

Il demanda à tous ses voisins de venir l'aider. Ceux-ci prirent des pelles et commencèrent à remplir le trou. Après quelques pelletées, le fermier regarda au fond du puits et fut très étonné : l'âne se secouait pour enlever la terre sur son dos et montait sur le tas. Bientôt, chacun fut stupéfié de voir l'âne hors du puits, trottant !

Morale de cette histoire : Quand vous vous sentirez englouti, secouez-vous pour avancer. Chacun de nos ennuis est une pierre qui permet de progresser ; à nous de monter dessus. Nous pouvons sortir des puits les plus profonds en n'arrêtant jamais de nous secouer. Il ne faut jamais abandonner !

La culture, c'est comme la confiture : moins on en a, plus on l'étend.

Jojo revient de l'école, tout fier. « Maman, j'ai eu 100 % aujourd'hui à l'école : 50 % en mathématiques et 50 % en français.

## JE SUIS RECONNAISSANT

- À l'adolescent qui se plaint de la vaisselle à faire, ce qui veut dire qu'il est à la maison et non dans la rue.
- Aux impôts que je paie, ce qui veut dire que j'ai un emploi.
- Au ménage à faire après une fête, ce qui veut dire que je me suis amusé et que j'étais entouré d'amis.
- À mes vêtements qui sont juste un peu trop serrés, ce qui veut dire que je mange à ma faim.
- À mon ombre qui veille sur moi au travail, ce qui veut dire que je suis en pleine lumière.
- À la pelouse qui a besoin d'être tondue, aux fenêtres qui doivent être nettoyées et aux gouttières qui ont besoin d'être fixées, ce qui veut dire que j'ai un toit.
- Aux plaintes faites à nos gouvernements, ce qui veut dire que nous avons la liberté.
- À la dernière place de stationnement que j'ai trouvée, tout au bout de la cour, ce qui veut dire que je suis capable de marcher.
- À ma grosse facture de chauffage, ce qui veut dire que je suis au chaud.
- À la personne assise derrière moi et qui chante faux, ce qui veut dire que je peux entendre.
- À ma pile de vêtements à nettoyer et à repasser, ce qui veut dire que j'en ai à porter.
- À l'épuisement et à la douleur musculaire à la fin de la journée, ce qui veut dire que je suis capable de travailler physiquement.
- À la sonnerie de mon réveille-matin, ce qui veut dire que je suis vivant.

# Chapitre 6

# Le rire, l'amour et l'estime de soi

## L'amour, c'est la vie

Les gens ont soif d'amour, et avec raison, car il constitue une nourriture fondamentale chez l'être humain. C'est un sentiment puissant, une émotion intense que chacun recherche à sa façon. L'amour est guérisseur de bien des maux. Il nous comble de plénitude et nous donne de l'énergie.

Nous pensons souvent à l'amour en imaginant le sentiment que nous avons pour une personne, un animal de compagnie, un objet précieux ou pour la nature. Avez-vous remarqué que, bien souvent, c'est l'amour de soi qui passe en dernier? C'est un sentiment magique, tout autant que le rire. Plus on s'aime, plus on a le goût de rire; plus on rit, plus on s'apprécie, plus on se sent bien. C'est un tout.

Nous attendons souvent d'être aimés par quelqu'un d'autre pour commencer à aimer l'autre et à nous aimer nous-mêmes. C'est pourtant le contraire qui devrait arriver puisque l'amour attire l'amour. On se doit d'éviter de donner de l'amour pour attirer l'approbation des autres ou pour leur plaire. Le but est de répandre l'amour parce qu'on en a à profusion à l'intérieur de soi et qu'on partage ses surplus. On ne peut donner ce que l'on n'a pas, alors commençons par remplir notre grand baril d'amour.

Le fils : « Papa, j'ai 16 ans aujourd'hui. Alors, aime-moi assez pour me traiter comme un homme, s'il te plaît. » Le père : « Parfait, voilà la facture de téléphone. »

*Message à tous les hommes blancs de la part d'un homme à la peau noire*

À toi, homme blanc, je veux dire

   Lorsque je nais, je suis noir. Lorsque je grandis, je suis noir. Lorsque je suis malade, je suis noir. Lorsque j'ai froid, je suis noir. Lorsque j'ai peur, je suis noir. Lorsque je vais au soleil, je suis noir. Lorsque je meurs, je suis noir.

Et toi, homme blanc

   Lorsque tu nais, tu es rose. Lorsque tu grandis, tu es pêche. Lorsque tu es malade, tu es vert. Lorsque tu as froid, tu es bleu. Lorsque tu as peur, tu es blanc. Lorsque tu vas au soleil, tu es rouge. Et lorsque tu meurs, tu es mauve.

Et tu oses me traiter d'homme de couleur !

Auteur inconnu

# Le baril d'amour

L'amour de soi peut se comparer à un grand baril : vous devez le remplir d'amour pour vous jusqu'à ce qu'il déborde. C'est dans les surplus que vous puiserez ce que vous partagerez avec les autres. Mais si votre baril n'est qu'à moitié plein, il vous est alors difficile d'en avoir assez pour vous, donc la relation avec les autres est loin d'être facilitée.

   Voici quelques petites réflexions sur l'amour.

- J'aime les autres comme je m'aime.
- Je m'aime comme j'aime les autres.
- Les autres m'aiment comme je m'aime.

## Qu'est-ce que l'amour de soi ?

Prenez le temps de bien réfléchir à chacune de ces façons de s'aimer plus. L'amour de soi, c'est :

- Être capable de me regarder dans le miroir avec amour et admiration.

- Être capable de prendre soin de mon corps et de l'aimer tel qu'il est.

- Être capable de m'accorder ce qu'il y a de meilleur, de me faire plaisir.

- Être capable de me faire confiance et de percevoir ma valeur.

- Être capable de choisir librement ce qui est bon pour moi.

- Être capable de dire non quand j'en sens le besoin, donc de m'affirmer.

- Être capable d'amener mon point de vue.

- Être capable de m'offrir des loisirs agréables.

- Être capable de me détendre en profondeur.

- Être capable d'accepter de recevoir du plaisir et des bonnes choses.

- Être capable de bien me nourrir, de bien dormir.

- Être capable de rire et de jouer.

- Être capable de bien vivre ma sexualité, sans culpabilité.

- Être capable de respecter mon rythme en tout.

- Être capable de me laisser aimer.

- Être capable de me dire : « Je suis une personne merveilleuse. »

- Être capable de me dire : « Je m'aime, je m'accepte, je m'approuve tel que je suis. »

- Être capable d'être au naturel.

**Exercice**

## C'est quoi, pour vous, l'amour de soi ?

Quoi d'autre vous fait savoir que vous vous aimez vraiment ?

_____

_____

_____

_____

_____

_____

_____

_____

_____

_____

_____

_____

_____

_____

_____

_____

_____

*Mot d'enfant*
On a découvert l'oxygène au XVIe siècle. « Ah oui ! mais qu'est-ce que les gens respiraient avant ? »

Contrairement à certaines croyances, les individus qui sont le plus à l'aise et heureux dans leur vie personnelle et professionnelle ne sont pas nécessairement ceux qui ont un quotient intellectuel supérieur à la moyenne. Ce sont plutôt ceux qui savent s'aimer, s'amuser, rire, s'affirmer et obtenir ce qui leur tient à cœur sans écraser leur entourage et sans manipuler les gens.

## Se regarder avec admiration

Regardez-vous dans le miroir avec admiration et respect de une à deux minutes. Faites cet exercice pendant quelques jours, jusqu'à ce que vous vous sentiez à l'aise.

Soyez bon envers vous-même. Vous venez de vous lever, vous avez les cheveux comme si vous vous étiez « peigné avec un pétard » et vous avez les yeux bouffis. Qu'est-ce que vous allez dire en vous voyant ? Évitez les commentaires négatifs. Ayez de bons sentiments pour l'image que vous voyez. Faites-vous un sourire, donnez-vous de petits becs, faites-vous un clin d'œil et commencez la journée du bon pied.

Quand vous aurez atteint votre objectif, refaites l'exercice, nu devant le miroir. Vous irez plus en profondeur dans l'appréciation de vous-même. Apprenez à aimer votre corps tel qu'il est et, si vous désirez vraiment améliorer certaines parties, ce sera plus facile si vous les traitez avec amour qu'avec hostilité. Essayez de faire collaborer quelqu'un en étant hargneux et ce sera l'échec. Pour s'améliorer soi-même, c'est la même chose. Ayez de la compassion et de l'affection pour toutes les cellules de votre corps. Elles le méritent bien, car ce sont elles qui travaillent minute après minute, jour après jour pour vous maintenir en vie et en mouvement.

Prenez un papier et un crayon et amusez-vous à faire les exercices suivants le plus honnêtement possible.

En passant devant une cage de perruches vertes, le petit Jojo dit à sa mère: « Regarde, maman, ces canaris ne sont pas mûrs. »

### La signification de votre nom

Si vous trouviez votre nom inscrit dans un dictionnaire, que pourriez-vous y lire qui vous distingue particulièrement? Laissez-vous aller, décrivez spontanément qui vous êtes.

_____

_____

_____

_____

_____

_____

_____

## Exercice

### Passeport personnalisé et secret

Si vous aviez à vous créer une carte d'identité détaillée et confidentielle, qu'aimeriez-vous y retrouver? Inscrivez-y de petits secrets cachés, une description physique, vos réalisations personnelles et professionnelles passées et actuelles, vos aptitudes, vos goûts, vos rêves, vos états d'âme, etc. Encore une fois, prenez plaisir à laisser votre cœur parler de ce qu'il ressent en pensant à vous en toute intimité.

_____

_____

_____

_____

_____

_____

_____

_____

_____

_____

_____

_____

## Exercice

### Comment serait votre sosie ?

Si on devait vous remplacer pendant une semaine, devenir vous temporairement, que devrait-on faire pour être votre réplique parfaite ? Quels talents devraient être mis en valeur, quels seraient les qualités et les défauts les plus évidents, vos traits de caractère, vos goûts, vos petites manies, ce qui vous rend triste ou heureux, ce qui vous fait rire, vos activités préférées, votre attitude au travail, en famille, en vacances, votre réaction face au stress, etc. ? Prenez tout le temps nécessaire pour aller en profondeur dans cet exercice, car il est porteur de prises de conscience importantes.

_____

_____

_____

_____

_____

_____

_____

_____

_____

_____

_____

_____

Ces moments de réflexion vous auront sûrement permis de quantifier votre estime et votre amour de vous-même. Cet exercice agira comme le miroir de votre intérieur si vous laissez parler votre cœur simplement et en toute franchise. Il ouvrira la voie au désir de prendre soin de vous.

Un jour, une petite fille se rendit à l'église prier pour un parent malade. Voyant qu'elle était seule depuis un certain temps, le prêtre s'approcha et lui dit : « Ça fait longtemps que tu es ici, est-ce que je peux t'aider ? » La petite fille lui répondit : « Tout va bien, je parle au petit Jésus et ensuite j'écoute s'il a quelque chose à me dire. » Symbolique, mais rempli de sagesse !

Voici une anecdote loufoque mais réelle qui m'a été racontée en salle, en lien avec le manque de précision des pensées. Une femme voulait se trouver un conjoint. Elle se disait à répétition : « Je ne veux pas qu'il fume, je ne veux pas qu'il sorte avec d'autres femmes et je ne veux pas qu'il boive de l'alcool. » Qui a-t-elle rencontré, pensez-vous ? Eh oui ! ce type d'homme. Le subconscient a fait son boulot, lui. Ce que tu cherches te cherche. Nous sommes comme des aimants qui attirent le positif ou le négatif, selon la commande.

## Questionnaire sur l'amour de soi

Est-ce que je m'aime quel que soit mon état ou ma situation ? Est-ce que je m'aime même lorsque je n'ai aucune raison spéciale de m'estimer ou de m'admirer ? Prenez quelques minutes pour vous interroger à travers les énoncés suivants.

Dorénavant, si votre conjoint vous dit « Je t'aime », vous pourrez répondre « Moi aussi, je m'aime ».

Est-ce que je m'aime…

- quand je suis triste ou déprimé ?      oui ____ non ____
- quand je suis angoissé ?      oui ____ non ____
- quand je suis en colère ?      oui ____ non ____
- quand je dis ce que je crois être une stupidité ?      oui ____ non ____
- quand je me sens moche ou couvert de boutons ?      oui ____ non ____
- quand je me sens mal habillé ?      oui ____ non ____
- quand je casse quelque chose ?      oui ____ non ____
- quand je fais des erreurs ?      oui ____ non ____
- quand je me fais critiquer ?      oui ____ non ____
- quand tout va bien ?      oui ____ non ____

Donnez-vous la permission de ne pas être parfait. Seriez-vous capable de continuer à vous aimer avec un membre en moins ou tout autre handicap ? Il vous serait sûrement facile de continuer d'aimer vos enfants, votre conjoint, vos amis si c'était eux qui se retrouvaient handicapés. Alors, aimez-vous avec cette même intensité. Cessez de vous juger, mettez le sourire et le rire sur votre visage. Le plaisir, la santé et la joie pourront ainsi égayer votre cœur et tout votre corps.

Deux copains sont en train de se chamailler. « Tu as peut-être une tête sur les épaules mais, quand tu agis ainsi, je crains que ça ne soit que pour tenir tes deux oreilles éloignées l'une de l'autre. »

# Test personnel sur l'estime de soi

Ce test n'a aucune prétention scientifique. Son seul but est de vous amuser et de vous amener à faire quelques prises de conscience sur l'état de votre estime personnelle.

| | Beaucoup | Assez bien | Peu | Pas du tout |
|---|---|---|---|---|
| 1. Est-ce que je m'aime comme je suis? | ___ | ___ | ___ | ___ |
| 2. Ai-je le sentiment de bien réussir ce que je fais? | ___ | ___ | ___ | ___ |
| 3. Suis-je à l'aise quand je suis complimenté par les autres? | ___ | ___ | ___ | ___ |
| 4. Est-ce que je me sens estimé par les autres? | ___ | ___ | ___ | ___ |
| 5. Est-ce que je prends autant soin de moi que des autres? | ___ | ___ | ___ | ___ |
| 6. Est-ce que je m'aime assez pour éviter de me critiquer négativement? | ___ | ___ | ___ | ___ |
| 7. Est-ce que je peux facilement recevoir une critique? | ___ | ___ | ___ | ___ |
| 8. Est-ce qu'en général je me sens aimé des gens? | ___ | ___ | ___ | ___ |
| 9. Ai-je une bonne opinion de moi-même? | ___ | ___ | ___ | ___ |
| 10. Est-ce que je sens que j'ai de la valeur? | ___ | ___ | ___ | ___ |
| 11. Est-ce que je sens que je suis quelqu'un d'intéressant? | ___ | ___ | ___ | ___ |
| 12. Est-ce que je m'aime? | ___ | ___ | ___ | ___ |
| 13. M'arrive-t-il souvent d'être fier de moi? | ___ | ___ | ___ | ___ |
| 14. Quand je me regarde dans le miroir, est-ce que j'aime ce que je vois? | ___ | ___ | ___ | ___ |

15. Est-ce que je me fais des cadeaux de temps en temps? _____ _____ _____ _____

16. Est-ce que je prends du temps pour moi chaque jour? _____ _____ _____ _____

17. Est-ce que j'aime mon corps? _____ _____ _____ _____

18. M'arrive-t-il de me dire que je m'aime? _____ _____ _____ _____

19. Est-ce que je prends facilement des décisions sans l'accord des autres? _____ _____ _____ _____

20. Ai-je assez confiance en moi pour éviter de m'excuser pour tout et pour rien? _____ _____ _____ _____

21. Suis-je à l'aise avec ma sexualité? _____ _____ _____ _____

22. Est-ce que je me valorise assez pour éviter de me comparer aux autres? _____ _____ _____ _____

## COMPILATION

BEAUCOUP:       3 points
ASSEZ BIEN:      2 points
UN PEU:           1 point
PAS DU TOUT:   0 point

## RÉSULTATS

51 points et plus:   EXCELLENT
41 à 50 points:      BIEN
31 à 40 points:      MOYEN
30 points et moins:  FAIBLE

Dans la vie, personne ne peut faire les choses à notre place; il n'y a rien de sorcier là-dedans, nous le savons. C'est pourquoi il est important, dans une saine démarche visant à rehausser l'estime et l'amour de soi, de savoir s'arrêter et de revoir ses priorités.

« Je viens accorder votre piano.
— Je ne vous ai pas téléphoné.
— Vous, non, mais vos voisins oui. »

On dit que nous devrions accorder du temps à ce qui a le plus de valeur pour nous. Mais où sont passées nos valeurs fondamentales depuis quelques années ? Le travail a pris plus d'importance que la famille. La soif de profits sabote la détente et le rire.

Je veux donc vous amener à réaliser que personne n'a de pouvoir sur nous, sauf celui que nous lui accordons. Je sais très bien qu'il est facile de nous laisser emporter par le rythme effréné de notre environnement social et qu'il peut sembler exigeant de nous réajuster, mais il est facilement possible d'y arriver en revoyant nos façons de faire et en nous aimant assez pour nous faire du bien.

*La valeur d'un 20 $*
Imaginez que vous assistez à une de mes conférences et que j'offre un billet de 20 $. Qui aimerait l'avoir ? Quand je fais cet exercice, tous lèvent la main. Je dis alors aux gens : « Je vais donner ce billet, mais avant je dois le froisser violemment. Est-ce que vous le voulez toujours ? » Tous lèvent la main. Je leur dis encore : « Je dois aussi marcher dessus et le traîner dans la poussière du plancher. Qui veut encore ce billet ? » Tout le monde. Peu importe ce que je ferai de ce billet, tous le voudront, car sa valeur ne changera pas.

Morale de cette histoire : plusieurs fois dans votre vie, vous serez froissé, écrasé, souillé par les gens et les événements, mais votre valeur ne changera jamais.

Un nigaud va à la confesse pour s'accuser d'avoir mangé de la viande le vendredi. Le prêtre lui dit: «Pour ta pénitence, tu m'apporteras une corde de bois.» Le lendemain, le curé trouve un voyage de bran de scie dans sa cour. Il appelle le nigaud et lui demande ce qui se passe. Celui-ci répond: «La viande que j'ai mangée, c'était du bœuf haché.»

Nous jouissons tous du libre arbitre dans nos vies. Nous pouvons continuer de nous plaindre ou nous aimer assez pour commencer dès aujourd'hui à penser à nous davantage et à faire les changements qui s'imposent. Une des meilleures soupapes de sécurité est, une fois de plus, le rire. Il n'allégera peut-être pas vos horaires, mais il pourra vous donner une meilleure attitude.

Mettez l'accent sur l'amusement et le changement va aussitôt pouvoir s'amorcer. Voyez du positif partout, même si la vie vous fait parfois très mal (deuils, séparations, etc.). Il n'en tient qu'à nous de voir comment nous pouvons ressortir plus forts et grandis des situations que nous ne pouvons pas changer consciemment.

Aussi cocasse que cet exemple puisse paraître, il a du sens. Vous achetez un grille-pain et il est accompagné d'un mode d'emploi en cinq langues. Votre bébé vient au monde, mais aucune directive n'est

Un jour, deux vendeurs de chaussures sont envoyés en Afrique par leur employeur. Le premier dit: «Mais il n'y a rien à faire ici, personne ne porte de chaussures.» Le second rétorque: «Merveilleux, il y a une fortune à faire ici, personne ne porte de chaussures!»

Un jour, une dame, accompagnée de sa fillette de cinq ans, va visiter sa voisine qui vient d'accoucher de son premier bébé. Elle lui demande d'éviter tout propos faisant allusion aux oreilles, car le bébé en est malheureusement dépourvu. Arrivée chez la voisine, la fillette dit : « Oh ! il a une belle bouche, votre petit bébé. » La femme est toute contente. « Il a un beau petit nez, votre bébé. » La maman se réjouit encore de tant d'éloges. La fillette demande ensuite : « Est-ce qu'il a de bons yeux, votre petit bébé ? » « Oui », lui répond la voisine. La fillette s'exclame : « Ouf ! une chance, car il n'aurait pas pu porter de lunettes. »

fournie. Notre vie passe et chaque jour nous offre des occasions de mieux nous comprendre si nous avons une bonne ouverture d'esprit.

Dans la vie, vous serez une personne heureuse et accomplie dans la mesure où vous vous aimez. Nous devons combler l'intérieur pour que l'extérieur le soit aussi. On ne peut avoir matériellement ce qui n'a pas été accepté comme acquis par l'intérieur. Réjouissez-vous de ce que vous avez, appliquez les trucs de mieux-être que vous connaissez et vous aurez assurément de bons résultats. Acceptez-vous tel que vous êtes, riez de plus en plus, prenez un petit peu de temps chaque jour pour prendre soin du bijou que vous êtes et vous allez constater bien des changements.

Savez-vous que mourir serait un manque de savoir-vivre ?

Un handicapé donna un jour un exemple de confiance en soi débordante. Il était dépourvu de jambes et de bras mais, amateur de natation, il se présenta à une compétition. Les responsables ne savaient trop comment répondre à sa demande. Il leur dit : « Ne soyez pas inquiets pour moi, je nage avec les oreilles. » On lui donna sa chance. Au signal de départ, ils le mirent à l'eau. Deux minutes plus tard, il n'était toujours pas remonté. Ils se dirent qu'ils avaient eu raison de douter. Le sortant de l'eau, ils l'entendirent s'écrier : « Quel est l'imbécile qui m'a mis un bonnet de bain sur la tête ? »

## Combler le vide

Vous avez sûrement remarqué que la solitude, l'ennui ou un dérangement émotif poussent bien des gens à manger sans même avoir faim. La nourriture remplit de l'intérieur et endort temporairement le manque d'amour et d'attention que le cœur et le corps ressentent.

Trop souvent, en amour, les gens recherchent quelqu'un pour combler un vide. Dites-vous bien qu'on attire quelqu'un du même type que soi. Si chacun se fie à l'autre pour se remonter, la relation manquera de solidité, c'est évident. Les gens voient communément un couple comme un tout qui donne 100 %, comme si chacun des conjoints constituait 50 % de l'ensemble. Qu'arrive-t-il si l'un des deux n'est plus là ?

Chaque conjoint devrait être perçu comme valant 100 %, ce qui totalise maintenant 200 %. Là, on peut vraiment s'aider mutuellement à grandir. Ce n'est pas à notre partenaire ou à nos enfants de nous rendre heureux, c'est notre responsabilité de remplir notre baril d'amour et de plaisir. Ce que les autres nous apportent devient alors un sublime cadeau dont nous sommes véritablement en mesure de profiter.

L'amant sonne à la porte. « Nous avons encore du temps, dit l'épouse infidèle, mon mari vient de m'appeler pour me dire qu'il joue aux échec avec toi jusqu'à ce soir. »

En résumé, plus on se sent attaqué par les propos de quelqu'un ou par la vie en général, plus ce sentiment est un indicateur à considérer : il faut revoir son estime de soi et la valeur réelle qu'on s'accorde. L'estime de soi est fondée sur la façon dont nous percevons nos capacités et notre valeur en tant qu'être humain. Rien ne sert d'avoir une mauvaise opinion de nous-mêmes : cela ne mène nulle part et nous déprime pour rien.

Chaque jour est un jour nouveau et un présent mis à notre disposition pour être heureux. Si je vous donnais un cadeau choisi sur mesure pour vous, est-ce que vous le refuseriez ? Vous l'accepteriez probablement. Je vous suggère donc de vous en faire un : profitez bien de chaque jour que la vie vous donne comme si c'était une oasis de plénitude à découvrir.

Un acrobate sort du confessionnal et voit que l'église est décorée de banderoles noires suspendues au plafond en vue d'une cérémonie funèbre. Ne pouvant résister à la tentation, il s'empare de l'une d'elles, se balance en accélérant de plus en plus, atterrit dans le jubé, puis sur l'autel. En le voyant, une vieille dame qui se dirige vers le confessionnal fait demi-tour en disant : « Pas de confesse pour moi aujourd'hui, les pénitences sont trop sévères. »

*Être jeune*

La jeunesse n'est pas une période de la vie
Elle est un état d'esprit, un effet de la volonté
Une qualité de l'imagination, une intensité émotive
Une victoire du courage sur la timidité
Du goût de l'aventure sur l'amour du confort
On ne devient pas vieux pour avoir vécu un certain nombre d'années
On devient vieux parce qu'on a déserté son idéal
Les années rident la peau ; renoncer à son idéal ride l'âme
Les préoccupations, les doutes, les craintes et les désespoirs
Sont les ennemis qui, lentement, nous font pencher vers la terre
Et devenir poussière avant la mort
Jeune est celui qui s'étonne et s'émerveille. Il demande,
Comme l'enfant insatiable : « Et après ? » Il défie les événements
Et trouve la joie au jeu de la vie
Vous êtes aussi jeune que votre foi. Aussi vieux que votre doute
Aussi jeune que votre confiance en vous-même
Aussi jeune que votre espoir. Aussi vieux que votre abattement
Aussi jeune que l'amour que vous vous portez
Aussi vieux que la critique que vous entretenez envers vous et les autres
Vous resterez jeune aussi longtemps que vous resterez réceptif
Réceptif à ce qui est beau, bon et grand. Réceptif aux messages
De votre corps, de la nature, de l'homme, de l'infini
Si, un jour, votre cœur est tourmenté par le pessimisme
Souvenez-vous que le sourire et le rire
Peuvent illuminer de nouveau sa jeunesse éternelle.

Inspiré de Samuel Ullmann, La jeunesse

Certaines personnes aiment tellement aider les autres qu'elles font parfois des exploits. Récemment, un ami a voulu aider sa femme en faisant un gâteau. Elle lui a demandé de faire la recette en double, car ils attendaient beaucoup de gens pour la soirée. Il a tout doublé et a même fait cuire le tout à 700 °F pendant 120 minutes. L'engageriez-vous?

# Chapitre 7

# La gestion du stress pour le rire et par le rire

## Êtes-vous stressé?

Quand il est question de la gestion du stress et de la fatigue, une panoplie d'éléments entrent en ligne de compte. C'est pourquoi je veux vous amener à adopter plusieurs trucs susceptibles de vous procurer un mieux-être durable.

Le Bureau international du travail (BIT) a évalué au début de ce XXI$^e$ siècle que le nombre de gens stressés dans les pays industrialisés avait doublé en 10 ans. Les femmes seraient plus affectées que les hommes. Au Québec, en 15 ans, la part du stress dans les causes d'absentéisme est passée de 2 % à 33 %. Tout cela coûte évidemment des milliards, en particulier à cause de la baisse de la productivité.

La fatigue est souvent causée par le désintéressement. Mais quels moyens utiliser concrètement pour vous apaiser mentalement, émotivement et physiquement?

Autrefois, les gens vivaient de quatre à cinq stimulus de stress par semaine. De nos jours, ce chiffre est passé en moyenne à 50. Toute une différence, n'est-ce pas?

Nous avons besoin de moyens efficaces pour éliminer les surplus de stress si nous voulons éviter ce que j'appelle la cristallisation

« Mon médecin est génial, dit une femme. Il m'avait donné six mois à vivre mais, comme je n'arrivais pas à le payer, il m'a donné encore six mois. »

dans le corps des effets néfastes (maux de dos et de tête, digestion difficile, maladies diverses).

## Pourquoi parler du rire quand il est question de gestion du stress ?

Il n'y a rien de mieux que de dédramatiser les situations par une touche d'humour, et cela n'a rien à voir avec l'humour noir. J'ai su qu'un jour un magasin a été vandalisé et a eu la vitrine fracassée. Le propriétaire, de nature plutôt positive, a alors accroché un écriteau qui annonçait : « Le magasin est ouvert… plus que d'habitude. »

N'est-ce pas une façon de mieux aborder les problèmes plutôt que de nous laisser voler notre énergie par l'emportement ? En plus de l'humour, il y a bien d'autres façons de rester calme devant certaines situations. On peut se demander au départ : « Est-ce que ma vie est en danger ? » Vous savez qu'à moins d'une maladie grave ou d'une circonstance extrême, la réponse sera non la plupart du temps.

Le sérieux est devenu une des pires épidémies des années 2000. Dans son livre *La volonté de guérir*, Norman Cousins, journaliste américain condamné à mourir d'une grave maladie, mentionne que 10 minutes de rire lui apportaient un effet anesthésiant pendant environ deux heures en déclenchant la sécrétion d'endorphines naturelles qu'on pourrait appeler les joyeuses hormones du bonheur. Sa guérison est une preuve de la puissance de l'optimisme.

Un restaurateur et un entrepreneur de pompes funèbres, dont les commerces sont face à face, sont un peu en guerre. Un bon matin, l'entrepreneur de pompes funèbres arrive au travail et voit l'affiche suivante sur la devanture du restaurant : « Mieux vaut être ici qu'être en face. » Ce dernier ne dit pas un mot et prépare lui aussi son affiche sur laquelle on peut lire : « Tous nos clients viennent d'en face. »

« Ma femme est tellement mauvaise cuisinière qu'elle se sert du détecteur de fumée comme minuterie. »

Nous devons favoriser le sourire, le rire et la paix intérieure dans notre vie. L'optimisme est associé au fait qu'on attend le meilleur en tout ; il est basé sur la sécurité intérieure. Les considérations extérieures ne devraient en aucun cas perturber la quiétude du moi profond. C'est certain que, pour y arriver, un peu d'entraînement est nécessaire, mais on est tellement bien ensuite. L'optimiste voit la vie comme une amie et non comme une ennemie. Il est convaincu qu'il est capable en tout temps de réussir à se dégager des choses qui pourraient entraver son bonheur.

Souvenons-nous donc que, selon plusieurs études, le rire aiderait à diminuer les douleurs, à réduire la nervosité et l'anxiété, à augmenter la vigueur du système immunitaire, à éviter la fatigue, et plus encore.

Le rire et le sourire provoquent l'envoi de signaux positifs au cerveau, lesquels sont susceptibles de déclencher un mieux-être par l'activation d'hormones naturellement euphorisantes.

L'enfant qui entre dans la maison, tout content : « Eh, papa, devine combien ça prend de crayons de cire pour cirer ta voiture. »

Je vous suggère un petit jeu pour régénérer tout votre corps. Il vous permettra d'utiliser le sourire sous la forme d'une douce relaxation.

## Exercice

### Régénérez votre corps

Installez-vous confortablement, étendu ou assis, ou encore faites l'exercice en conduisant votre voiture ou pendant une autre activité. Par la visualisation, souriez à toutes les cellules de votre corps. Imaginez vos pieds, remerciez-les de bien vous porter. Voyez que leurs cellules ont toutes le sourire, comme si elles chantaient et dansaient. Voyez la belle lumière blanche ou dorée qui anime le tout. Jouez avec cette image.

Pensez ensuite à vos jambes, puis à chaque organe interne. Remerciez-les de bien travailler pour vous maintenir en forme ou, si vous l'êtes moins, visualisez l'état parfait au lieu de blâmer la partie en cause.

Si vous arrivez à une zone de votre corps où vous sentez une résistance (par exemple, rendu à vos cuisses, vous avez envie de leur dire « Mes cuisses, attendez votre tour »), alors c'est le signal que ce sont elles qui ont le plus besoin d'amour pour devenir plus belles.

Ce petit jeu envoie une puissante énergie régénératrice contribuant progressivement à augmenter votre bonne forme générale et l'amour de vous-même.

# Les types de stress

Le stress est avant tout une réaction normale d'adaptation à une situation. À petite dose, il est bénéfique et nécessaire. C'est lorsque nous perdons le pouvoir sur nous que nous risquons de nous enliser.

De multiples occasions peuvent nous faire vivre du stress. Lorsque nous sommes surchargés mentalement, le stress intellectuel est présent. Il arrive souvent que les gens soient fatigués non pas parce qu'ils ont travaillé, mais bien parce qu'ils n'ont pas fait ce qu'ils auraient aimé faire ou qu'ils en ont trop fait. Leur attitude a aussi une grande influence. Quelqu'un peut faire le travail qui lui convient mais, si son attitude est négative, il parviendra difficilement à être heureux et en harmonie avec lui-même.

Le stress relationnel peut aussi entraîner son lot de dérangements. Vous n'avez qu'à penser à une personne qui se plaint de ses problèmes. Qu'arrive-t-il si vous vous associez mentalement à ses difficultés? Elle repartira en vous disant que cela lui a fait du bien de vous parler et c'est vous qui aurez récolté son énergie négative. Demandez-lui quelles solutions elle envisage au lieu de tenter de faire le travail à sa place. Les conseils et la compassion, c'est bien beau, mais nous ne sommes pas l'autre pour faire le boulot à sa place. Aimez-vous assez pour lui demander d'aller chercher de l'aide extérieure et pour lui proposer de vous exempter de tous ses problèmes. Suggérez-lui de dresser la liste de ce qui va bien dans sa vie.

Le stress de nature émotionnelle est aussi très répandu. C'est un sentiment désagréable au plexus, qui vous donne le goût de maugréer contre les gens et les situations. Il est notamment le déclencheur des discussions orageuses. Si quelqu'un refoule ses émotions, s'il veut éviter de les partager de peur de paraître faible ou d'ennuyer les autres, il s'expose à la conséquence suivante : tout ce qui ne s'exprime pas avec des mots risque de se manifester par les maux.

Le stress physique, pour sa part, est un peu le résultat des trois autres, car tout ce qui n'est pas éliminé ou bien géré s'imprime dans le corps, qui nous le fait savoir par différents malaises. Évidemment, il peut aussi se développer lors d'activités exigeantes physiquement. Au départ, l'important est d'être conscient de nos sources de stress.

## Relâchez votre stress

L'exercice physique et le rire sont parmi les meilleurs outils. Ils aident à évacuer les tensions, les surplus d'adrénaline, etc., tout en procurant un agréable sentiment de détente.

En ce qui concerne l'exercice physique, on se doit par contre de bien le doser en fonction de sa condition personnelle. De là l'importance d'être bien conseillé par des professionnels en la matière, par exemple son médecin. Il y a aussi une foule de petits moyens simples à notre portée et susceptibles de produire un mieux-être. On n'a qu'à penser aux suivants :

- la relaxation ;
- le massage ;
- un bon bain ;
- une marche dans la nature ;
- le rire ;
- la lecture ;
- les respirations profondes ;
- la connaissance de soi ;
- les loisirs ;
- une attitude positive ;
- de bonnes pensées, etc.

Un des principaux problèmes liés au mieux-être, c'est que les gens se plaignent plutôt que de passer à l'action. Dans la vie, on peut décider de ce qui est bon pour soi et prendre les moyens pour arriver à ses objectifs. Voici d'autres idées pour se faire du bien :

- se réserver du temps juste pour soi ;
- chercher un peu de silence chaque jour ;
- accrocher un sourire à ses lèvres ;
- marcher le corps droit ;
- regarder vers le haut au lieu de baisser les yeux vers le sol ;
- aller voir des spectacles ;
- avoir des lectures nourrissantes et positives ;
- bien manger ;
- se coucher à une heure convenable ;
- y penser avant de se laisser emporter par la colère ou l'amertume.

Un gardien de prison demande à un détenu condamné à la peine de mort de prononcer son dernier souhait avant l'exécution. Celui-ci demande à manger des fraises. Le gardien lui dit que ce n'est pas disponible : « On est au mois de janvier et il y a de la neige. » Le prisonnier répond : « Ça ne fait rien, j'attendrai. »

Apprenez à vous faire plaisir au moins une fois par jour. Sortez, voyez des gens qui aiment rire, s'amuser et parler positivement. Écoutez des disques qui vous font du bien, de la musique pour la détente, des sons de la nature ou des enregistrements de pensée positive. Éloignez-vous le plus possible du négatif, puis observez les changements.

Faites-vous plaisir sans vous sentir coupable. Observez vos croyances. Êtes-vous de ceux qui se croient nés pour un petit pain ? Mettez de l'ordre autour de vous, dans votre voiture, votre maison, etc. L'ordre extérieur est souvent le reflet de notre ordre intérieur, et vice-versa. Posez-vous les questions suivantes :

- Est-ce que c'est plus important pour moi de réussir dans la vie ou de réussir ma vie ?

- Est-ce que l'équilibre est présent dans ma vie entre le travail, la famille, le couple et les loisirs ?

- Où sont mes priorités ? La santé et le plaisir sont-ils au premier rang ?

- Est-ce que je suis devenu un petit robot, envoûté par l'hypnose collective m'inondant de nombreuses croyances néfastes et de façons de faire négatives ?

La productivité, le profit, la surcharge de travail sont devenus des monstres qui font perdre à l'individu sa joie de vivre s'il ne demeure pas vigilant.

Un nigaud très âgé se fait annoncer par son médecin qu'il ne lui reste que deux semaines à vivre. « D'accord, dit-il, je vais prendre les deux dernières de juillet. »

## Changez vos images mentales

En programmation neurolinguistique, on travaille beaucoup avec les images mentales. Si je vous dis « Pensez à un moment où vous vous êtes senti totalement aimé », cette consigne créera en vous une réaction biochimique. Par contre, si je vous dis « Pensez à un chien qui vient de se faire écraser sur la route », la réaction sera tout à fait différente.

Alors, ce que vous entretenez comme images est tout aussi important que vos pensées. Ramenons cela au stress. Je vous recommande d'éviter de partir à la chasse au stress comme un ennemi à vaincre. Je vous encourage plutôt à le transformer par vos attitudes, vos pensées et votre imagerie mentale. Nous avons déjà parlé des attitudes et des pensées, alors voyons comment on peut jouer avec nos images mentales, et je dis bien « jouer ».

Supposons que le fait de traverser un pont vous stresse. Prenez cette image et l'émotion correspondante, puis imaginez que vous mettez le tout dans une main. Visualisez la scène en spectateur (car vous l'avez sortie de vous) et attribuez-lui des caractéristiques, par exemple cela vous fait penser à un monstre. Ensuite, imaginez que vous avez une baguette magique ou tout simplement visualisez la transformation de la situation en quelque chose de positif. Vous pourriez même être audacieux en transformant le monstre en une situation de plaisir intense avec votre partenaire. Puis, remettez cette énergie en vous et changez-vous les idées aussitôt pour éviter que le mental tente de raisonner et de défaire les choses. La prochaine fois que vous devrez traverser un pont, l'image du plaisir intense prendra

Un policier patrouille de nuit et se rend dans un endroit connu pour ses couples qui font du parking. Il s'approche d'une voiture et voit un homme, assis au volant, en train de lire un magazine d'informatique et une femme, assise sur la banquette arrière, qui regarde des livres de recettes. Curieux, il s'approche. « Que faites-vous là ? » demande le policier. « Vous le voyez bien, je lis un magazine », répond le chauffeur. En pointant la jeune fille, le policier ajoute : « Et elle, que fait-elle ? » « Je crois qu'elle lit aussi », répond le jeune homme. L'agent, totalement confus, hausse les épaules et leur dit : « Un jeune couple, seul dans une auto la nuit et il ne se passe rien d'immoral ? » Puis il leur demande leur âge. « J'ai 22 ans, monsieur » et, regardant sa montre, il ajoute : « Et elle aura 18 ans dans vingt minutes. »

la place, car vous aurez modifié le code de réaction interne. Faites-le en jouant, je le répète.

Chaque fois que vous sentez un stress monter en vous, développez le réflexe de créer une métamorphose de la situation. Vous êtes arrêté à un feu rouge et c'est long. Mettez une image de cela dans votre main, peu importe laquelle, et remplacez le tout par quelque chose qui vous est agréable, par exemple des vacances à la mer, puis intensifiez cette énergie et remettez le tout en dedans de vous. Ce que vous faites ainsi constitue un processus de création d'ancrages positifs qui, au fil du temps, deviennent automatiques et font s'accroître les réactions positives dans votre vie. Ce que je vous raconte, je l'ai expérimenté très souvent et cela fonctionne bien. C'est devenu chez moi un réflexe de transfigurer les perceptions. En utilisant ce truc, on pense à rire au lieu de stresser. On active une ressource positive au lieu de se sentir victime.

## S'aimer davantage peut-il aider à réduire le stress?

S'aimer davantage peut en effet aider à réduire le stress. Comment? Si vous êtes capable de vous affirmer, de dire non quand quelque chose vous perturbe, de vous faire respecter, se pourrait-il que bien des situations s'en trouvent allégées et que ce soit moins stressant?

Prenez ces exemples.

- Vous aviez une agréable sortie de prévue, mais quelqu'un vous demande de l'aider à réparer sa clôture. Vous acceptez pour ne pas lui déplaire, même si cela ne vous convenait vraiment pas. Vous risquez de cette façon d'être en conflit intérieurement, ce qui causera du stress et de la frustration.

- Supposons que vous soyez débordé de travail au bureau et qu'on vous demande de produire un dossier supplémentaire pour la fin de la journée. Si vous ne faites pas savoir que vous aurez de la difficulté à y parvenir, qui vivra le stress? Pratiquez l'art de devenir de plus en plus à l'aise d'exprimer votre point de vue. Afin de reprendre votre pouvoir sur vous-même, apprenez à vous aimer tel que vous êtes.

- Les autres ne peuvent vous donner plus que ce que vous vous donnez à vous-même.

- Les autres ne peuvent vous aimer plus que vous ne vous aimez vous-même.

- Les autres vous traitent comme vous vous traitez, ni pire ni mieux.

Les temps changent. Avant, on amenait nos blondes rencontrer nos parents. Aujourd'hui, on amène nos blondes rencontrer nos enfants.

## Trente trucs simples pour vous aider à rire plus et à être plus détendu

Cette liste de petits trucs a pour but de favoriser des prises de conscience en vue d'un plus grand mieux-être même si, à première vue, elle semble dépourvue d'humour. Je dis bien à première vue, car c'est en utilisant de tels moyens que le rire refait surface de façon durable.

1.   Marchez pieds nus dans la rosée matinale.

2.   Partagez un repas hors du lieu de travail ou de la maison avec des gens que vous appréciez.

3.   Passez-vous les mains sous l'eau en tenant légèrement le robinet. Ceci a pour effet de créer une mise à la terre pour décharger le stress et différents malaises. Faites-le consciemment en ordonnant mentalement à l'énergie du désordre et au stress de sortir. Visualisez une belle lumière blanche ou dorée qui vous entoure et vous remplit, comme si la pureté de votre énergie vitale reprenait sa place, vous procurant du même coup une immense sensation de bien-être. Vous pouvez faire la même chose pour tout ce qui crée de l'inconfort (peur, douleur, etc.); c'est magique. C'est, à la base, un simple principe physique qui s'applique. Si, en plus, vous dirigez votre pensée pour obtenir un résultat concret, vous serez agréablement surpris des effets. Jouez en faisant cela, c'est bien important. Si vous êtes trop sérieux, vous devenez analytique, donc vous bloquez le flux énergétique positif.

4.   Le soir, faites une petite pause avant de rentrer chez vous, comme vous promener dans un parc, marcher en observant les détails autour de vous.

5.   Aménagez-vous des loisirs, trouvez de nouveaux centres d'intérêt (arrangement de fleurs séchées, peinture sur bois, cours d'humour ou de théâtre, quilles, etc.). Votre vie est-elle trop centrée sur votre travail? Ce déséquilibre est souvent la source du problème.

6.   Bougez et détendez-vous en faisant des activités (marche, gymnastique, danse, yoga, sauna, etc.).

7.   Chantez, dansez, sautez, criez en vous roulant dans l'herbe ou en courant dans la forêt.

8.   « Lâchez votre fou » pour le plaisir de vous laisser aller sans contrôle.

9.   Extériorisez votre joie de voir la beauté d'un coucher de soleil.

10.  Vous signez un important contrat? Criez « Hourra! » en raccrochant le téléphone. Je vous raconte une anecdote qui m'est arrivée récemment. Je suis plutôt spontanée et, par un beau matin, j'étais au téléphone avec un client quand soudain j'ai reçu sur une autre ligne l'appel du responsable d'une compagnie avec qui j'avais négocié un très beau contrat; il ne restait qu'à obtenir la confirmation. Je me suis permis de demander au premier client de patienter quelques secondes et j'ai pris le second appel en demandant à mon interlocuteur si je pouvais le rappeler dans quelques minutes. Il me répondit qu'il voulait seulement m'aviser que nous allions signer le jour même. J'ai alors raccroché et spontanément j'ai crié « Hourra! » sauf que j'avais oublié de fermer l'autre ligne temporairement. Vous imaginez la réaction du premier client. Il me dit : « Vous mentiriez en me disant que vous n'avez pas eu une bonne nouvelle. » Je ne vous suggère aucunement d'être aussi exubérant mais plutôt de favoriser l'extériorisation de la joie dans votre journée. Aimez-vous assez pour ça !

11.  Apprenez à mieux vous connaître et prenez soin de vous.

12.  Prenez du recul par rapport aux situations en vous offrant une fin de semaine dans une auberge, une journée de ski, un piquenique au bord de l'eau, une visite dans un jardin botanique ou au zoo. Évadez-vous, ça éclaircit les idées et ça redonne de l'énergie.

13.  Lors de conflits, posez-vous les questions suivantes : Qu'est-ce que cela m'apprend sur moi, sur ma façon de réagir aux situations? Quelle est ma part de responsabilité dans tout cela? Pourquoi ai-je attiré cet événement? Y a-t-il des croyances qui me limitent et que je me plais inconsciemment à entretenir, par exemple : « Vaut mieux être pauvre et en santé que riche et malade » ? Voilà d'autres pistes pour revenir à soi.

*L'art de se compliquer la vie*
Un concours est organisé dans un petit village. Chaque participant doit manger cent fruits de la même sorte sans rire. Le premier choisit de manger 100 fraises. Il croit que son estomac le prendra bien. Le voici qui mange 50, 58, 62 fraises, il éclate de rire : disqualifié. Le deuxième, lui, se croit bien meilleur. Il se dit : « Je vais manger 100 bleuets, rien de plus facile. » Au début, tout va bien : 75, 82, 90, 95, 98 bleuets et il s'esclaffe à son tour. Les gens lui disent : « Dommage, vous étiez si près du but. » Il leur répond : « C'est que vous n'avez pas vu Jos s'en venir avec son chargement de melons d'eau. »

14.  Apprenez à être bien en adoptant un rythme plus lent. Combien de gens retraités, après avoir rêvé de ne plus travailler, découvrent tôt ou tard l'ennui des journées sans horaire fixe? Après l'euphorie du début, certains choisissent même de se composer un emploi du temps astreignant, pour échapper au vide que le calme leur impose. Ils se sentent inaptes à s'adapter à l'oisiveté. Il est fréquent de voir des gens tomber malades l'année suivant le début de leur retraite. Ont-ils trop de temps pour penser, ont-ils le sentiment de ne plus être utiles ou se sentent-ils inconsciemment coupables d'être bien? Si on s'habitue à être bien dans le loisir et dans la joie, ce sera un acquis à un âge plus avancé.

15.  Étirez-vous, bâillez, respirez doucement et profondément, tout en prenant conscience de tout ce qui vous entoure afin de mieux vivre le moment présent.

16.  Donnez-vous du temps juste pour vous. L'idéal est parfois de vous isoler, sans crainte d'être dérangé, afin de pouvoir vous connecter avec votre moi profond (bain aux huiles essentielles, musique douce, etc.) Demandez-vous ce qui vous ferait du bien.

17.  Cessez de vous énerver dans la circulation. Est-ce que ça vous détend d'être derrière votre volant et de hurler contre les ralentissements ou les chauffards? En voiture, vous pourriez écouter des bruits de la nature ou de la musique reposante. Changez vos images mentales.

18.  Évitez de manger en travaillant. Si, fréquemment, vous devez acheter un sandwich et le manger devant votre ordinateur, il serait peut-être temps de revoir votre façon de faire. Les interruptions sont nécessaires, car elles permettent d'être plus efficace. Faites plusieurs petites pauses plutôt qu'une seule longue.

19.  Renoncez à la perfection et acceptez de chercher et de recevoir de l'aide au besoin. Soyez plus indulgent envers vous-même et les autres.

20.  Essayez de faire le vide mentalement de temps à autre. Vous pouvez tout bonnement vous concentrer sur le mouvement d'un rideau qui bouge sous l'effet de la chaleur qui se dégage du système de chauffage.

21.  Gardez votre calme en toutes circonstances. J'aime bien la phrase suivante et je la considère comme une affirmation positive de base. Elle a fait des miracles pour moi pendant les années où je manquais énormément de confiance et où je stressais facilement pour tout et pour rien. La voici: «Je suis maître de moi en toutes circonstances.» Écrivez-la et placez-la à la vue ou encore mieux, amusez-vous à la répéter jusqu'à ce qu'elle devienne un automatisme qui se déclenchera lors de situations stressantes notamment.

22.  Ne vous sentez jamais coupable d'être bien et d'avoir du plaisir. Si vous allez voir un spectacle et que, durant la soirée, vous

Ma femme est un signe d'eau; moi, je suis un signe de terre. À nous deux, on fait rien que de la boue.

vous dites « Je devrais être en train de laver mes planchers au lieu d'être ici », eh bien! vous ne profiterez pas pleinement du moment présent.

23. On se plaît à planifier son budget, mais qu'en est-il des planifications pour sa santé et son temps? Peut-être avez-vous l'impression de perdre votre temps à penser à cela. Mettez sur papier les choses que vous avez à faire au lieu de dépenser une grande quantité d'énergie à vous dire: « Il faut que je pense à ceci et à cela. » Ce qui est écrit, on n'a plus à le gérer mentalement. Par exemple, le soir au coucher, si je m'aperçois que je pense à quelque chose à faire le lendemain, je l'inscris sur un bloc-notes que je garde toujours sur ma table de nuit afin de libérer mon mental. C'est merveilleux. Ce calepin peut même devenir une source de surprise. Mon conjoint et moi aimons bien nous faire fréquemment de petites douceurs surprises: des fleurs sauvages, des courriels tendresse, etc. À un moment donné, il a dû partir à l'extérieur pour quelques jours. Le soir venu, j'ai pris quelques notes, car c'est souvent juste avant de m'endormir ou au réveil que je crée mes présentations. En enlevant la première page, j'ai découvert qu'il m'avait écrit un beau « Je t'aime » décoré de plein de « p'tits becs », comme on dit. Quel bonheur de recevoir et de donner ces petites surprises! On éloigne ainsi la routine de nos vies.

24. Mettez de l'ordre autour de vous. Votre bureau, votre voiture ou votre maison ressemblent-ils à des lieux où une tornade est passée? Rangez vos choses au jour le jour, évitez les accumulations de courrier, de vaisselle, etc. Le temps passé à chercher, c'est de l'énergie gaspillée.

25. Évitez les gens qui vous envahissent et vous font perdre du temps et de l'énergie en racontant leurs problèmes, par exemple. Dites-leur: « J'aime bien ta présence, mais j'aimerais que tu me parles de ce qui va bien dans ta vie, de tes bons souvenirs, de tes projets, etc., sinon je préfère que tu prennes tes distances. » Peut-être qu'elle vous boudera un certain temps et qu'elle vous reviendra en vous disant merci de l'avoir aidée à prendre conscience de son comportement. Si elle ne revient pas, ce sera peut-être mieux ainsi.

26. Évitez les réactions nocives face au stress.

- L'alcool, le café, le tabac et les drogues ne sont qu'un baume artificiel exprimant une nécessité de compensation. Ils masquent un besoin de prise en charge plus profond.

- La nourriture peut devenir aussi une source de compulsion. Le fait de manger beaucoup amène l'individu à se sentir plein en dedans à défaut de se sentir plein d'amour. Ce sentiment temporaire lui fait du bien et il tend à vouloir le retrouver, mais il n'est qu'illusoire.

- L'inquiétude gruge nos forces inutilement. Si elle réglait les problèmes, cela irait bien sur la planète. Au contraire, si on l'entretient sans vigilance, on attire l'objet de ses soucis.

- La maladie peut aussi, dans certains cas, devenir une façon d'obtenir de l'attention de soi et des autres, même si cela semble cru à dire ainsi. Les types de malaises ou de maladies qui affligent un individu sont généralement le reflet de ses pensées et attitudes envers lui-même et la vie. Nous pouvons aider les autres, mais nous ne pouvons faire les choses à leur place, comme ils ne peuvent le faire pour nous.

27. Trouver un coupable pour ses problèmes et porter des jugements sont aussi des attitudes observables quand l'individu est envahi par le stress prolongé. Il peut alors être porté à se venger à la moindre occasion ou à faire preuve de sarcasme.

28. L'entêtement, la rigidité et le contrôle sont des systèmes d'auto-défense lourds à porter et très stressants. Vouloir toujours avoir raison, satisfaire ses intérêts au détriment des autres, argumenter, manipuler, bouder ne conduisent à rien de constructif. L'agres-

Une infirmière entre dans la chambre d'un patient qui va être opéré et lui dit: «Allez, réveillez-vous, on va vous endormir.»

Un homme dépense 5 000 $ pour assister à un séminaire sur la réincarnation. Il dit: «Après tout, on ne vit qu'une fois.»

sivité ne fait guère meilleure figure. Est-ce en criant, en jurant ou en conduisant imprudemment que cela ira mieux? Dans ma vie, j'applique une philosophie de base: «Qu'est-ce que je peux apporter aux autres?» au lieu de «Qu'est-ce que je peux obtenir des autres?» En adoptant cette attitude, on reçoit énormément de la vie, car on active un mouvement de libre circulation de l'énergie d'abondance sous toutes ses formes. Comment puis-je rendre service aux autres en exploitant mes talents et mes centres d'intérêt?

29. Les mouvements répétitifs sont parfaits pour calmer. On n'a qu'à penser à des gestes simples comme se bercer, faire de la bicyclette, jongler, etc. On dit même que le fait de regarder des poissons nager dans un aquarium aiderait beaucoup à faire le vide mental. Dans les années 2000, les gens vont aussi vite que s'ils avaient des moteurs de chaque côté de leurs chaussures. Optez pour la petite phrase: «Je suis calme, de plus en plus calme.»

30. Très souvent, dans nos activités quotidiennes, nous devons patienter, que ce soit dans des files d'attente, à l'épicerie, dans un ascenseur, dans l'autobus ou dans le cabinet d'un professionnel. Qui a dit qu'il fallait être grognon dans ce temps-là? Profitez-en plutôt pour vous détendre. Prenez de bonnes respirations, prenez contact avec le moment présent, observez les gens et souriez-leur, rêvez à des projets qui vous tiennent à cœur. Le stress ne fera pas avancer les choses plus vite.

Voilà un sujet sur lequel on pourrait écrire des centaines d'ouvrages, mais mon but est de vous amener à réaliser que vous pouvez avoir du plaisir au cours de vos journées en faisant les choses simplement. Croyez que c'est possible de voir la lumière au bout du tunnel même quand certaines difficultés semblent faire de petits nuages dans votre ciel. Faites-vous du bien. Prenez la vie calmement.

## Le rire et le stress

Vous êtes envahi par la supposée obligation de « performer », vous devez côtoyer des collègues exigeants, votre belle-mère vient dîner. Et si vous choisissiez de prendre cela à la blague ? Le « jeûne zygomatique », c'est-à-dire l'absence de rire, est nuisible à l'équilibre psychique.

D'après le docteur Henri Rubinstein, spécialiste du système nerveux, « le rire joue un rôle fondamental, au carrefour des manifestations musculaires, respiratoires, nerveuses et psychiques de l'individu ». Le rire est un véritable jogging intérieur régénérateur. Cet auteur affirme que le rire peut nous secouer, nous projeter dans le plaisir et dans la souplesse de la vie. Alors, allez voir les humoristes, programmez des séances de comédie et des dîners avec des gens rigolos. Bref, fuyez les pantouflards chroniques et leurs séries dramatiques ou aidez-les à sortir de leurs pantoufles en leur donnant le goût du plaisir.

## Mes débuts en humour

J'enseigne depuis plusieurs années le mieux-être par le rire et j'aborde en salle une multitude de sujets connexes en vue d'aider les gens à développer un bonheur durable. Lorsque j'ai débuté dans le métier, je faisais partie d'une organisation extraordinaire. Nous étions une équipe de professeurs qui donnaient, dans près de 40 villes au Québec, un cours sur la pensée positive et la métaphysique. De tous les professeurs, j'étais la seule à proposer une approche marginale où le sketch et le jeu étaient mis à profit. Je me souviens que le superviseur m'a demandé de faire attention de ne pas trop mettre l'accent sur cet aspect, car je transgressais la façon de faire au niveau provincial.

Ce collègue ne dénigrait aucunement mon approche, au contraire. Il ne faisait que faire son travail. Pendant ce temps, je me rendais compte que les gens aimaient participer à des séances plus animées et qu'ils en redemandaient. Je me suis donc retirée de cette équipe pour faire cavalier seul.

Je suis mon propre patron et c'est le plus beau cadeau professionnel que je pouvais m'offrir : autonomie, défis, liberté d'organiser mes horaires à mon goût. Par exemple, je suis une passionnée des voyages : si je veux partir à tel moment, je m'organise pour le faire. Le bonheur, c'est un choix ! Tout cela s'est construit au fil des années en faisant des expérimentations et des ajouts de ressources, mais surtout en gardant mon objectif bien vivant au plus profond de mon être. En ayant de la gratitude pour ce qui existe autour de soi, pour ses apprentissages, on s'assure de pouvoir rire de plus en plus. Mettez l'accent sur ce qui va bien et vous allez augmenter et accélérer la venue des bonnes choses.

Dans la vie, on attire ce que l'on fait vibrer au plus profond de soi et on doit seulement oser faire le saut pour ne pas avoir à se dire : « J'aurais donc dû le faire avant. »

## Des trucs rigolos pour évacuer le stress sans le déverser sur le voisin

- Suivez des cours d'humour. Les gens qui s'amusent en apprenant retiennent beaucoup mieux l'information et ont beaucoup plus de plaisir à le faire. Si une personne s'inscrit à un cours en gestion du stress et qu'elle y prend des notes sérieuses sur ses effets négatifs, elle aura appris de bien belles théories, mais elle va peut-être en ressortir encore plus stressée en pensant à tout ce qu'elle doit faire pour s'en sortir. Il n'y a rien comme la mise en application pour intégrer une leçon. Je vous parle par expérience car, lors des ateliers et conférences en gestion du stress que je donne, les gens sont amenés à évacuer énormément de stress sur-le-champ par le biais du jeu coopératif comique, soutenu bien entendu par des objectifs pédagogiques précis.

- Animez vos cordes vocales. Avez-vous déjà expérimenté les bienfaits de chanter sous la douche ou au volant de votre voiture ? Les cordes vocales sont des muscles dont le degré de tension est directement soumis à notre état nerveux et émotionnel.

Le fait de jouer avec elles et de les détendre contribue à apaiser les tensions et à redonner de l'énergie. De plus, le chant provoque une respiration abdominale des plus profitables en oxygénant davantage l'organisme. Il y a différents sons que vous pouvez exploiter pour faciliter cet exercice.

L'utilisation des voyelles est particulièrement efficace. Chacune d'entre elles a certains effets bénéfiques. Vous pouvez faire des a a a, des e e e, des i i i, des o o o et des u u u avec le sourire. Afin de rendre le jeu agréable, allez-y en articulant franchement, comme si la bouche était tendue. De temps en temps, amusez-vous en déformant votre bouche de côté et en sortant la langue. Vous pouvez battre des bras comme un petit canard, taper des mains. Surtout, faites vos sons sur un air connu et rythmé.

Chaque voyelle a ses bienfaits. Les voici.

- A : Agit sur la partie supérieure des poumons et sur le cerveau.
- I : Agit principalement sur la tête, le nez et le larynx. Il aide à dissiper les migraines et rend de bonne humeur. L'onde se répand dans tout le corps.
- O : Fait vibrer toute l'ossature de la cage thoracique et stimule le diaphragme et les poumons. Il accroît le dynamisme et la

*Mot d'enfant*
« Moi, je dors dans mon lit et mon petit frère, dans le sien. Maman et papa dorment ensemble parce qu'ils sont de la même grandeur. »

Si un homme s'accroche un poids d'un kilo avec une corde de 50 cm au testicule gauche et un poids de 2 kilos avec une corde de 70 cm au testicule droit, quelle corde va casser en premier ? La corde vocale.

concentration ; son effet se propage aussi aux intestins et aux glandes génitales.

- E : Tonifie gorge, cou, cordes vocales et thyroïde.

- U : Agit sur la nuque et les cordes vocales.

- OU : N'est pas une voyelle, mais ce son agit sur les organes abdominaux (estomac, foie, intestins). En permettant une meilleure régularisation, il évite la constipation.

- En famille, mettez de la musique enjouée et dansez comme le ferait un singe, une poule ou un canard. Ne vous préoccupez pas du ridicule ; s'il le faut, ouvrez la porte symboliquement pour le mettre dehors.

- Ayez l'esprit présent. Je me souviens d'une chose qui m'est arrivée dans un restaurant. Lors d'un repas de famille regroupant une trentaine de personnes, j'ai dû monter sur une chaise pour prendre une photo. Dans la section près de nous, il y avait une dizaine de gentils messieurs. L'un d'eux a eu la brillante idée de me dire : « Nous allons avoir une danse à 10. » Je me suis empressée de lui répondre : « D'accord, monsieur, laissez-moi juste le temps d'aller en chercher neuf autres. » Tous ont éclaté de rire et ont applaudi de surprise. L'homme, ne sachant plus trop comment réagir, a fini par en rire.

- Secouez-vous les mains en pensant à quelque chose dont vous voulez vous débarrasser, votre patron peut-être… Cela défoule et ne fait pas de mal. Imaginez le stress entrer dans le sol pour éviter de le lancer sur les autres. Amusez-vous, je vous en donne la permission. Célébrez la vie.

- Utilisez la couleur orangée dans votre décoration, c'est celle du plaisir. Moi, je l'utilise, car j'adore les couleurs chaudes et joyeuses. J'ai une question mystère pour vous : « Est-ce que favoriser le mieux-être par le rire se compare à de la décoration intérieure ? »

- Piétinez vigoureusement et rapidement sur place en faisant des rugissements et en souriant. Vous allez voir que cela défoule et que c'est amusant. C'est encore plus drôle en groupe.

- Faites vos tâches domestiques sur des airs de rock and roll ou avec de la musique rythmée à votre goût. Dansez, chantez, sautillez, souriez, faites virevolter la guenille, allez-y à fond !

- Un truc particulier mais efficace : frappez votre oreiller avec vigueur. Vous allez voir, cela défoule ; ou encore, faites une bataille d'oreillers en famille.

- Quelque chose qui fait aussi du bien, c'est sauter sur un petit trampoline, si votre condition physique le permet, bien entendu.

Vous arrive-t-il de vous lever vers six ou sept heures du matin, de passer l'aspirateur, de faire la lessive, de ranger la vaisselle de la veille, de changer la litière du chat, de faire manger les enfants et enfin de partir travailler ? N'est-ce pas la caricature du quotidien de bien des gens ? Madame se maquille dans sa voiture et monsieur rase sa barbe au volant dans un bouchon de circulation. Cette habitude a joué un vilain tour à une dame stressée. Un matin d'hiver, alors que c'était encore la pénombre, elle a inversé par mégarde ses deux crayons à maquiller. Elle a pris le rouge destiné au contour des

Une dame était occupée à laver sa vaisselle. Pendant ce temps, son perroquet n'arrêtait pas de chanter : « Le tournesol, le tournesol... » Elle l'avertit que, s'il n'arrêtait pas, elle allait lui donner un bon coup de linge à vaisselle, mais en vain. Elle le frappa donc et l'oiseau se retrouva sur le dos au sol, chantant : « Le sol tourne, le sol tourne... »

« Monsieur le directeur, mon salaire n'est pas en rapport avec mes capacités !
— Je le sais bien, mais nous ne pouvons tout de même pas vous laisser crever de faim. »

lèvres afin de faire une ligne autour de ses yeux et le crayon de couleur verte pour la bouche. Elle a eu la chance d'apprendre à rire d'elle-même quand elle est arrivée au bureau déguisée de cette façon. C'était apparemment digne d'un jour d'Halloween. On en voit des choses de ce genre, surtout dans les grandes villes.

Le matin, vous partez peut-être essoufflé, mais la maison est propre. Est-ce vraiment le rythme que vous souhaitez ? Ramasser la poussière vous a-t-il aidé à passer une meilleure journée ? Tout cela résulte de notre « survoltage » inconscient, comme si on était branché sur un « pilote automatique ». On ne se rend même plus compte parfois à quel point on se laisse emporter par une routine qui nous est néfaste.

## Si l'insomnie s'en mêle

Nous passons nos journées à nous mouvoir à une vitesse incroyable, puis arrive le moment de nous mettre au lit. Plusieurs souffrent de ce que j'appelle « la pitourne » (« pis tourne d'un bord, pis tourne de

Le père : « Trouvez-vous que mon fils me ressemble ?
— Oui, mais ce n'est pas grave, pourvu qu'il soit en santé. »

l'autre ») et ont de la difficulté à s'endormir. Peu habitués d'être gentils et bons envers eux-mêmes, ils se répètent cette phrase intérieurement sur un ton directif : « Dors, ça va faire, dors… » Ils se couchent alors tout raides, tendus et ont une respiration superficielle. Les pensées continuent d'être au bureau et ils se posent en plus toutes sortes de questions cocasses.

- Est-ce que j'ai fermé la porte à clef ?
- Quelle robe vais-je porter demain ?
- Qu'est-ce que je vais mettre dans le lunch des enfants pour l'école ?
- Qu'est-ce que je vais dire à mon patron, qui m'a demandé de résoudre tel problème ?
- Il faut que je pense à appeler Gertrude, etc.

Deux heures plus tard, que se passe-t-il ? La petite voix dit encore : « Dors, as-tu compris ? » Et là, ils se lèvent ; certains vont faire du ménage ou la lessive, question de prendre de l'avance sur leur horaire.

Que faire si vous avez ce genre de problème ? Voici quelques trucs simples pour bien dormir.

1. Prenez un bon bain moussant avant d'aller au lit.

2. Allumez une bougie et éteignez les lumières de la salle de bain tout en vous laissant bercer par une douce musique relaxante.

3. Demandez à votre conjoint ou à vos enfants de vous faire un bon massage du dos. Quelle belle activité à faire en famille, se masser mutuellement ; les enfants adorent ! Vous pouvez leur donner un rouleau à pâte à rouler sur le dos. C'est magique et ils adorent ce jeu. J'ai travaillé pendant 12 ans dans un milieu éducatif et cette technique était très utilisée.

4. Prenez une quinzaine de minutes pour regarder une vidéo humoristique, lire des choses comiques ou encore *Réveiller son médecin intérieur* !

5. Faites l'amour plus souvent.

6.   Faites une balade en prenant de bonnes respirations profondes. À chaque inspiration, imaginez que vous inspirez le calme, la paix, la joie et, à chaque expiration, laissez aller les tensions de la journée, qu'elles soient émotives, intellectuelles ou physiques.

7.   Mettez quelques gouttes d'huiles essentielles sur vos poignets ou sur votre oreiller au coucher (lavande, oranger ou verveine). Leur parfum est directement absorbé par les cellules olfactives et est source de détente et de réconfort.

8.   En vous couchant, prenez quelques minutes pour tendre volontairement chaque partie de votre corps à tour de rôle et relâchez au bout de quelques secondes. Quel sentiment de bien-être cela génère!

9.   Comme il en va de votre mieux-être, en faisant de tels exercices, affichez là aussi un sourire intérieur pour tout votre corps.

10.  Prenez de bonnes respirations pendant quelques minutes en imaginant mentalement un écran sur lequel vous visualisez une scène qui vous plaît particulièrement (un bord de mer, votre partenaire, une forêt tropicale, etc.) ou tout simplement un écran vide. Le but est de ramener le calme dans votre esprit et dans votre corps.

11.  Comptez très lentement à rebours, par exemple 100, 99, 98, 97… Cela évite de penser.

12.  Parlez à quelqu'un de confiance si vous en sentez le besoin.

13.  Écoutez des enregistrements de détente ou de visualisation dirigée.

Un jour, un petit garçon demande à sa mère: «Est-ce que c'est vrai, maman, que, lorsqu'on est mort, on retourne en poussière?
— Oui, mon petit garçon.
— Alors, maman, il y a plusieurs morts en dessous de mon lit.»

En appliquant ces trucs, vous remarquerez que tous les domaines de votre vie s'amélioreront de façon très significative.

## Comment commencez-vous votre journée?

On a parlé du moment précédant le sommeil, mais votre réveil, lui, comment se passe-t-il? Êtes-vous de ceux qui se réveillent avec le sourire aux lèvres en regardant leur partenaire? Êtes-vous du genre à vous regarder dans le miroir avec le sourire en vous envoyant un beau baiser? Ou êtes-vous de ceux à qui il ne faut pas parler avant le troisième café?

Dès que vous vous réveillez, soyez vigilant quant aux premières pensées qui meublent votre esprit, car elles sont fortement susceptibles d'influencer le cours de votre journée. Supposons que vous ouvriez l'œil au son de la radio avec une pièce à caractère négatif (peine d'amour, etc.), quel genre de commande vos cellules et votre cerveau recevront-ils?

Lorsque le cerveau est en ondes alpha, c'est comme si le subconscient était encore plus ouvert. On est plus vulnérable au négatif et plus ouvert au positif. Alors, est-ce que le subconscient a de bonnes choses à inscrire dans son carnet de commande pour cette journée-là? Disons qu'il a entendu des mots comme: «Je t'en veux, je suis pauvre et malchanceux», il aura tout un programme... Si quelqu'un s'avise de vous faire la vie dure ce jour-là, vous risquez fort d'être plus prompt. Vous risquez également d'avoir un niveau de stress plus élevé que si vous vous étiez réveillé en vous disant: «Qu'est-ce qui va m'arriver de merveilleux, de fantastique et d'extraordinaire aujourd'hui?» ou encore «Merci pour cette belle journée.

Quel est le comble de la patience et du calme? Raconter à un chauve des histoires à lui faire dresser les cheveux sur la tête.

Je suis en vie, alors toutes les possibilités sont là. » Mettez la joie et le plaisir en priorité dans votre quotidien une fois de plus.

Que faites-vous pour ensoleiller votre quotidien ? Si vous vivez seul, soyez assuré d'une chose : vous vous devez d'être votre meilleur ami et de vous aimer profondément. L'amour attire l'amour. Supposons que vous alliez à la rivière pour y puiser de l'eau. Si vous arrivez avec une cuillère, vous en ramènerez très peu. Si vous vous y rendez avec un camion citerne, vous le remplirez. Dans la vie, c'est la même chose. Elle ne peut vous donner plus que la grandeur du récipient. Pour agrandir votre contenant, il y a la voie de l'amour, de la joie et du rire au quotidien, qui attire plein de belles choses et de bonnes personnes, sans oublier la santé.

*Mot d'enfant*
Une petite fille voyant sa mère piquer des morceaux d'ail dans un rôti de bœuf lui demande : « Maman, pourquoi mets-tu des suppositoires dans le rôti ? »

Évitez de vous culpabiliser d'avoir trop de plaisir et fuyez la croyance qui dit : « On a tellement ri aujourd'hui qu'on va sûrement pleurer demain. » Apprenez à ne jamais vous laisser déranger par la peur du ridicule, car elle paralyse l'expression du bonheur. Visualisez-vous mentalement comme la personne détendue que vous voulez être et, comme pour tout désir, vous réaliserez que « c'est à faire comme si que l'on devient comme ça ».

*Le temps*

Supposons qu'une banque dépose dans ton compte, chaque matin, un montant de 86 400 $ que tu peux utiliser à ta guise. Aucun intérêt n'est prélevé, aucun remboursement n'est exigé et, chaque soir, est effacé tout ce que tu n'as pas utilisé. Trop beau pour être vrai, dis-tu ? Pourtant, chacun de nous possède une telle banque. Son nom ? Le temps. Chaque matin, une puissance supérieure dépose à ton compte 86 400 secondes. Et chaque soir, on efface tout ce que tu n'as pas utilisé pour accomplir ce qu'il y a de mieux. Il ne reste rien au compte, cependant il est impossible d'être « dans le rouge ».

Un nouveau dépôt est fait quotidiennement et le solde est éliminé aux douze coups de minuit. Si tu n'utilises pas tout le montant de la journée, tu perds ce qui reste. Rien ne te sera remboursé. Et il est impossible d'emprunter sur le lendemain. Donc, tu dois vivre au présent, avec le dépôt d'aujourd'hui. Investis-le de façon à obtenir le maximum en matière de santé, de bonheur, d'amitié, de succès et d'amour. L'horloge avance toujours. Fais le maximum aujourd'hui et, le soir venu, lorsque tu ne peux plus rien changer, tu pourras peut-être dire : « C'est le mieux que j'ai pu faire. »

Aujourd'hui est un cadeau, c'est pourquoi on l'appelle le « présent ».

# Chapitre 8

# Lâcher prise pour mieux rire et s'amuser

## Soyez moins sérieux

La société actuelle demande que nous soyons performants, compétitifs et rapides. Nous avons ainsi de plus en plus besoin de rire pour
annuler les effets de nos obligations.

En fait, le rire permet de nous dissocier des masques que nous
portons tous les jours dans la grande pièce de théâtre qu'est la vie.
L'humain semble très attaché aux façades qu'il s'est construites pour
se protéger et elles l'amènent à se prendre beaucoup trop au sérieux.
Pourquoi trop de gens attendent-ils d'être malades pour faire le
point et harmoniser tous les domaines de leur vie ? Apprenons donc
à nous aimer assez pour prendre soin de nous dès maintenant. Le
rire et le lâcher-prise libéreront en vous la voie du bonheur, car ils
sont intimement liés.

Dans un bar, un homme ivre se rend aux toilettes. Après quelques
minutes, un cri retentit jusque dans le bar. Personne ne bouge,
croyant à une fantaisie passagère.
Quelques minutes plus tard, un hurlement arrive des toilettes. Cette
fois, le barman décide d'aller voir ce qui se passe. Il ouvre la porte et
demande au client saoul si ça va et ce qu'il a à crier comme un fou. Il
répond : « Tu vois, je suis assis sur la toilette et, chaque fois que je tire
la chasse d'eau, je me fais pincer tu sais quoi, c'est horrible ! » Le
barman lui répond : « Mon cher monsieur, vous êtes assis sur le sceau
pour tordre la vadrouille. »

Le rire procure un lâcher-prise instantané. Il nous aide à nous dégager de la rigidité ainsi que de la résistance aux changements et nous rend plus énergiques sur tous les plans. Le rire réduit l'importance de nos soucis.

Avez-vous remarqué que nous sommes portés à rire de choses qui ont longtemps été cachées ou encore qui ont eu ou qui ont toujours du pouvoir sur nous (politique, patron, sexualité réprimée, etc.)? Le rire aide à libérer ce qui est refoulé. C'est pourquoi, en salle entre autres, j'incorpore le rire (jeu coopératif comique et non compétitif, anecdotes drôles, etc.) à tous les sujets présentés. Les résultats sont extraordinaires, car les barrières tombent automatiquement, les gens lâchent prise. À la maison ou au bureau, plus vous apprendrez à rire de vos travers, plus vous en réduirez l'importance et plus vous les transformerez en ressources positives.

Mot d'enfant
La famille s'amuse à faire parler la petite Lulu, qui n'a que trois ans. On lui demande où naissent les oiseaux, et elle répond dans des œufs. On lui demande encore où naissent les poissons, elle répond dans l'eau. On lui demande enfin d'où viennent les lapins, elle répond : « Dans les chapeaux de magicien. »

## La maladie de mon père : le lâcher-prise et l'amour au service de la vie

Il y a quelques mois, je me rendais faire une conférence en rigolothérapie et j'étais pressée. Soudainement, ma petite voix m'a dicté de tout de même faire un détour et d'aller voir mon père avant le travail. Comme tous les membres de la famille, j'avais remarqué chez lui des comportements intrigants quelques jours plus tôt.

Je me suis donc rendue chez lui et quelle ne fut pas ma stupé-faction de le voir le visage partiellement paralysé, les larmes aux yeux et ne sachant ce qui lui arrivait. Un homme bien différent était devant moi. J'en étais bouche bée, compte tenu de son âge (début de la soixantaine) et du fait qu'il avait toujours été un modèle de santé.

Je devais me rendre à la conférence malgré tout, et heureuse-ment quelqu'un qu'il aime beaucoup l'accompagnait ce soir-là. J'ai expliqué en toute franchise aux participants ce que je vivais et j'ai appliqué la notion qui confère le pouvoir au moment présent. Les gens m'ont soutenue avec une tendresse que je n'oublierai jamais et ont applaudi à mon témoignage en guise de soutien. Je vous avoue qu'ils ont réussi à me soutirer quelques larmes et c'était bien ainsi. Nous avons vécu des moments d'une intensité inoubliable. Et la soi-rée s'est malgré tout poursuivie dans le plaisir, comme c'est toujours le cas.

Ce soir-là, je terminais ma série de conférences dans cette ville. J'étais au restaurant avec mon groupe quand j'ai reçu un appel sur mon téléphone cellulaire : mon père venait d'être hospitalisé. Le lende-main matin, on le transférait à Québec dans un centre hospitalier spécialisé en neurochirurgie à cause de la gravité de son état. Il était jeune et actif (trois à quatre kilomètres de marche par jour). Agricul-teur, il avait travaillé physiquement toute sa vie, avait une alimen-tation exemplaire, était en pleine forme et souriant. Une tumeur maligne au cerveau a été diagnostiquée. Nous étions stupéfaits.

J'ai aussitôt mis en place un processus intérieur, voyant mon père en parfaite santé : la cause première de son état était éliminée, faisait ainsi place à l'harmonie et à la guérison. Pendant les jours qui ont pré-cédé et suivi l'opération, je me suis donné une mission : mettre des sourires et des rires sur son visage et sur celui des gens qui venaient le visiter ; et je leur suggérais de faire de même eux aussi. Nous sommes ainsi parvenus à conserver nos énergies davantage et à faire du bien à mon père.

Je suis d'avis que l'apitoiement ne favorise aucunement la guérison du malade et qu'il ne nous aide pas non plus à surmonter l'épreuve. Je vous mentirais si je disais qu'il n'y a pas eu d'émotions, sauf que nous devons dissocier nos vies de celles des gens qui nous entourent pour mieux les aider. On doit se dire : « C'est à lui que ça arrive, pas à moi. »

Si on s'affaiblit, on sera bien moins utile. La maladie arrive souvent pour guérir nos vies. Le corps est une soupape de sécurité par lequel les émotions refoulées cherchent à sortir. Plus quelqu'un s'oublie en accordant davantage d'importance aux autres qu'à lui, plus il enfouit ses souffrances pour éviter de paraître vulnérable, plus il se ment sur ses états d'âme et accumule frustrations et peines, plus le terrain devient propice aux désordres physiques. Le processus de rétablissement peut s'enclencher lorsque cette ouverture d'esprit se fait, c'est-à-dire quand la conscience réalise que l'intelligence supérieure en soi est là pour travailler selon les commandes qu'on lui envoie.

La maladie est bien entendu le résultat d'un processus inconscient, mais l'éveil qu'elle peut créer est en soi la voie menant à la correction du problème. La médecine fait des merveilles en aidant le corps pendant qu'on active le processus intérieur de guérison. Je suis consciente que cette attitude peut demander bien du courage et de la détermination, et pour beaucoup de gens ce sont des forces qu'ils se découvrent quand la difficulté, pour ne pas dire la détresse reliée à cette réalité les surprend. L'ouverture qui leur est alors donnée et la foi en un autre type de guérison ont un effet de transformation intérieure quasi inexplicable mais très profond.

Pour revenir à la maladie de mon père, je peux vous dire que les gens présents à tous mes ateliers ont continué d'être pleins d'amour et de lumière pour ma famille durant cette période intense. Je me suis alors permis de prendre contact avec d'autres amis afin de créer une force des plus intenses pour soutenir cet être si cher à mes yeux, un modèle d'amour, de sagesse, de sérénité et, surtout, une personne si vibrante par sa volonté de vivre. Je dis merci à cette chaîne de vie qui s'est formée.

On percevait la présence des bonnes pensées tout autour de lui. On entrait dans sa chambre et on se sentait entouré de lumière. On nous avait parlé de deux à trois jours de soins intensifs au moins. Quelques heures après l'opération, il est retourné à sa chambre. Il sentait peu de douleurs, sauf une certaine sensibilité quand il bougeait dans les heures suivant l'intervention chirurgicale. Pas de médication antidouleur, aucun effet secondaire causé par l'anesthésie, appétit extraordinaire. On nous parlait de 7 à 10 jours d'hospitalisation pour une telle intervention. Quatre jours et demi plus tard, il était chez lui… Même les intervenants étaient épatés par sa vitesse de récupération. Quelques jours après sa sortie de l'hôpital, il conduisait à nouveau sa voiture. Comme dit mon père : « Les pilules, c'était vous tous. » Il n'a pas subi de séquelles physiques ni mentales, la tumeur a pu être enlevée complètement.

Des gens de la famille me disaient souvent : « Line, on compte sur toi. » Je les amenais à réaliser que tous ont le même potentiel de visualisation. Le plus beau dans tout cela, c'est que de très nombreuses personnes ont découvert la force de la pensée métaphysique à travers cette expérience et l'ont pratiquée de façon telle que cette attitude restera marquante et porteuse de continuité pour leur propre vie.

Mon père est un homme qui a un très large cercle d'amis tellement il est bon et aimé de tous. Je taquinais les infirmières en leur disant qu'elles avaient la chance de soigner l'homme le plus aimé au Québec. Avez-vous pensé à la puissance que peut avoir une telle énergie de vie dirigée sur quelqu'un ? Un événement du genre ramène aux vraies valeurs. Mon père a toujours glorifié la vie et je vous dis que c'est encore plus intense maintenant et que cela ouvre à une intériorisation encore plus grande. Même dans la souffrance, on sait que l'humour peut être d'un grand secours.

Trois mois et demi plus tard, mon jeune papa continuait de faire preuve d'un courage et d'un optimisme exemplaires quand la tumeur a été diagnostiquée de nouveau. Elle a malheureusement réapparu, ce que le médecin appréhendait. La situation a été médicalement contrôlée et il mène une vie normale. Il a une seule idée en tête : « Je vais vaincre, même si les statistiques sont sombres. » Il se voit en train de témoigner de sa guérison et met toutes les chances de son côté. Excellent musicien, il participe à de nombreuses activités ; il va danser, s'amuser. Il fait tout pour mettre de la joie dans chaque minute de sa vie. Il est adorable et nous enseigne beaucoup à travers ce qu'il vit, et ce, tant dans ses propos que dans le silence. À ce jour, quatre autres mois ont passé et le dernier examen ne démontrait plus de tumeur. Fantastique ! Je vous parlerai de la suite dans mon prochain volume qui traitera plus spécifiquement de l'autoguérison.

On doit oublier l'étiquette négative du cancer et de garder la lumière dirigée sur mon père et sur l'élimination de la racine du mal.

On bénit la situation pour que le meilleur arrive. On le visualise guéri et heureux dans l'âme, dans le cœur et dans le corps. Il s'est lui-même ouvert à des choses fantastiques. Il lit des témoignages de guérison, des ouvrages sur la pensée positive et la visualisation, ce qu'il n'avait pas vraiment fait auparavant. La communication entre nous est plus intense, car mon métier devient pour lui source d'inspiration. On s'aide tous les deux dans cette expérience.

On ne peut faire les choses à la place des personnes malades ni les ouvrir de force aux puissances spirituelles qui sommeillent en elles, mais si, par nos bonnes pensées, on peut alléger leurs souffrances et les aider à s'ouvrir à une autre dimension, eh bien, c'est fantastique! Nous nous devons tout de même de respecter leur cheminement, de les aider sans nous imposer.

Le rire et l'humour permettent à la personne affligée de réaliser qu'elle n'est pas une patiente, mais bien un individu à part entière et qu'elle est pleine de vie, ce qui lui permet toujours de rire et même de rire de sa situation pour ainsi affaiblir la maladie et renforcer sa santé tout en stimulant son immunité.

J'ai donc partagé avec vous cette expérience dans le but de vous faire réaliser que, même dans les pires difficultés, on se doit de garder confiance en des jours meilleurs et de dédramatiser les situations, car la peur est extrêmement destructrice. On doit éviter d'acheter des croyances et des statistiques néfastes. Il faut garder le sourire et l'espoir, se voir plus fort que l'obstacle et lâcher prise en voyant ce que cette expérience apporte pour apprendre à mieux se connaître et à mieux s'aimer.

Je veux aussi vous dire que le message d'amour et de vie que je vous transmet dans ce livre est rempli d'un vécu qui m'a donné de nombreuses occasions d'expérimenter ce que je communique. Je n'aurais jamais écrit ces pages si je n'avais eu que de la théorie à donner et je pense que c'est ce qui donne de la force à ce qui est transmis. Je vous parle avec le plus de simplicité possible. Je sais, tout comme vous, que la vie est une source perpétuelle d'expériences qui nous permettent d'utiliser nos meilleurs outils, car les situations difficiles abondent pour plusieurs. Alors, tous ensemble, mettons les pensées positives et le rire en priorité dans notre quotidien. En contrepartie, faisons tout notre possible pour éliminer le besoin de nous agripper au passé ou à des schèmes de pensées destructeurs, et notre soleil intérieur pourra réchauffer notre être avec toute la splendeur qui lui est possible. Un petit peu chaque jour, c'est ainsi qu'on peut grandir en beauté et en sagesse!

Hier est une histoire, demain est un mystère, aujourd'hui est un cadeau.

## Les autres sont nos miroirs

Une des bonnes façons de commencer à s'entraîner est de donner à l'autre le droit de penser ce qu'il veut, en lui portant un amour inconditionnel, c'est-à-dire en voyant en lui le petit enfant ou toute autre image pouvant nous aider à voir le reflet de sa propre souffrance.

Il y a une bonne raison d'être vigilant quand l'envie de critiquer quelqu'un nous prend, car ce que l'on voit et critique chez l'autre provoque les éléments pour le devenir soi-même. C'est ce que le subconscient reçoit comme image et instruction.

Toute énergie négative dirigée vers autrui doit nécessairement passer par soi. Quel dommage on se fait sans même en être conscient! Voyez l'autre comme un instrument d'évolution pour vous, car il vous permet d'exercer la non-résistance.

Nos conjoints sont nos plus beaux miroirs. Ce qui nous dérange chez l'autre est souvent une partie de nous non acceptée ou quelque chose qu'on ne se permet pas de faire. On rencontre fréquemment dans notre vie des personnes qui correspondent à ce qu'on a critiqué chez nos parents ou à ce qu'on déteste chez les autres. Heureusement, le côté positif a son influence magnétique lui aussi.

Si vous dites «Je ne ferai pas comme ma mère», vous allez vraisemblablement faire la même chose, car votre subconscient reçoit

L'erreur est humaine, mais, lorsque la gomme à effacer s'use plus vite que le crayon, c'est que vous vous trompez trop souvent.

les images de ce que vous n'aimiez pas et pense que c'est ce qu'il doit accomplir. Il n'a pas le sens de l'humour, lui. Il est votre fidèle serviteur.

Le lâcher-prise s'applique activement dans la réalisation de nos buts. Cessez de lutter pour avoir quelque chose. Plus vous forcez, moins ça arrive. Sachez ce que vous voulez, mettez-y les sensations positives en lien avec l'atteinte du but et soyez confiant que ce sera là au bon moment.

## La résistance et le jugement sont-ils votre lot?

Selon vous, quelles peuvent être les causes qui amènent les gens à avoir de la difficulté dans leurs relations interpersonnelles et à s'attirer des situations désagréables? On pourrait en énumérer plusieurs, mais il y en a deux principalement: le jugement et la résistance. Lutter est synonyme de conflit, de résistance et de gaspillage de temps et d'énergie. En nous agrippant, nous limitons l'action de notre intelligence universelle.

« Lulu, dit la mère, arrête ça tout de suite. Je t'ai entendue dire à Tommy qu'il est stupide. Dis-lui que tu regrettes.

— D'accord, maman, dit Lulu. Tommy, je regrette que tu sois stupide. »

À la bibliothèque, Jojo regarde un livre intitulé *Comment manger au restaurant sans payer*. La préposée, voyant son intérêt plutôt particulier, lui fait savoir que le tome deux est maintenant disponible. Le titre est *Mes deux ans en prison*.

J'ai entendu une belle histoire récemment. Un homme, fatigué de vivre sans une femme à ses côtés et déçu par quelques rencontres non concluantes, décide de partir en vacances en Afrique, se disant que l'énergie travaillerait pour lui pendant ce temps. Vous imaginez la suite… C'est durant ce voyage qu'il a rencontré la femme de ses rêves. Il avait lâché prise et cela lui a ouvert les canaux de l'abondance de joie.

## Les attentes

Les attentes sont souvent une source de déception. Notre attitude nous fait fréquemment vivre des attentes et croire que les choses devraient se passer exactement comme nous le voulons. Notre rôle est de commander intérieurement ce que nous souhaitons réellement en fixant l'objectif désiré comme s'il était réalisé. La vie, notre source, notre intelligence supérieure, peu importe comment nous nommons cette force, prendra les bons moyens pour nous livrer la commande de la façon la plus adéquate possible. Quand nous cessons de forcer, nos souhaits se réalisent. Nous n'avons qu'à entretenir notre foi en leur réalisation.

Avoir des attentes n'a rien de mal en soi. La seule chose à considérer, c'est quelles sortes d'attentes on entretient. Si vous avez signé un contrat en vue d'acheter une nouvelle maison et qu'il ne vous reste qu'à officialiser le tout chez le notaire, c'est une attente qui est porteuse de joie.

Trois hommes discutent à savoir quelle est la chose la plus rapide au monde. Le premier dit: « C'est la pensée. » Le deuxième dit: « C'est la lumière. » Le troisième dit: « Non, je suis tout à fait en désaccord. La chose la plus rapide qui existe c'est la diarrhée, car t'as pas le temps ni de penser ni d'allumer la lumière. »

Par contre, si vous attendez qu'un homme X vous fasse une déclaration d'amour, peut-être n'est-il même pas intéressé à votre type de personnalité. Vous verrez cette situation se produire fréquemment chez des jeunes qui idéalisent un musicien, par exemple.

Arthur décide d'arrêter dans une halte routière pour aller aux toilettes. La première salle était prise, alors il entre dans la seconde. Aussitôt assis, il entend une voix qui vient de l'autre côté. Bonjour, comment ça va ? Eh bien, se dit Arthur, je ne suis pas trop du genre à fraterniser dans les toilettes des haltes routière... Il répond tout de même à la question, un peu embarrassé: heu... ça va assez bien... Et l'autre enchaîne en disant: et puis, que fais-tu de bon ? Tu parles d'une question pense Arthur qui commençait à trouver ça plutôt bizarre. Il répond encore et dit: je suis comme vous, je m'en vais vers le nord. Là, il entend le gars tout énervé dire: je te rappelle, il y a un imbécile à côté qui répond à toutes mes questions.

J'ai aussi vu d'autres types d'attentes. Vous êtes invité à prendre un repas chez une belle-sœur. À la fin du repas, elle vous dit : « Vous me le direz quand ce sera à mon tour d'aller chez vous. » Est-ce un don pour le plaisir de donner et d'échanger avec des amis, des parents, ou est-ce du marchandage ?

Qui n'a pas essayé aussi de se donner comme mission de changer quelqu'un ? Un contrat voué à l'échec, car il est irréaliste de penser pouvoir faire une deuxième copie de nous-mêmes avec quelqu'un d'autre. Alors, aussi bien penser à découvrir les autres au lieu de chercher à les contrôler.

La phrase suivante est une clef extraordinaire à se répéter pour obtenir un bon lâcher-prise : « Chacun fait du mieux qu'il peut au point où il est rendu et moi aussi ». Certains répondent à cela : « Oui, mais j'en connais qui ne sont pas rendus loin… » Ah ! les petits coquins !

À l'heure des devoirs, fiston demande à sa mère si elle est capable d'écrire dans le noir. Elle lui répond que oui. L'enfant lui dit alors : « Alors, je vais fermer la lumière le temps que tu signes mon bulletin. »

## Mettez de la lumière dans votre vie

Quand quelqu'un vous dérange, pensez à lui souhaiter du bien, à lui envoyer de la lumière. En effet, la lumière est protectrice pour l'autre et pour soi. Vous pouvez même l'utiliser pour vous protéger lors de déplacements en véhicule, par exemple. Vous visualisez alors une vibration lumineuse qui émane de la matière et la fait vibrer rapidement et harmonieusement. Même si la majorité des gens ne voient pas ces choses-là, elles n'en sont pas moins réelles. J'ai ouvert cette parenthèse, car c'est un truc très utile dans maintes situations. Je vous en donne un exemple concret.

*Jeu de visualisation*

Lorsque mes enfants étaient petits, vers trois ou quatre ans, nous étions sur la route pendant une importante tempête de neige. La chaussée était tellement enneigée et glissante qu'il nous était devenu impossible de monter une côte. J'ai soudain eu l'idée de faire un jeu avec eux et on en rit encore aujourd'hui tellement les résultats ont été spectaculaires. Voyant que la voiture allait s'arrêter, je leur ai dit : « On imagine qu'il y a deux gros éléphants qui sont devant l'auto et qui tirent fort fort, et qu'il y en a deux autres en arrière qui poussent fort fort. » Instantanément, le véhicule s'est mis à accélérer et nous avons pu gravir la côte. Le jeu permet de contourner la résistance consciente et laisse l'énergie ainsi que notre puissance faire son travail.

Pour plusieurs, la tentation sera forte de penser que ce fut un hasard. Je ne vous demande en aucun cas de me croire, je vous dis seulement de faire vos propres expérimentations. Je pourrais vous raconter pendant longtemps des faits vécus semblables, mais il n'y a rien comme le vérifier soi-même.

## Liste d'idées pour lâcher prise et devenir plus indulgent envers soi et les autres

- Solidifiez votre estime de vous-même au départ. Chacun possède sa vérité, celle qu'il croit bonne pour lui. Si vous n'aimez pas que quelqu'un bouscule la vôtre, alors pourquoi le faire aux autres ? Ce que les autres pensent de vous n'est pas important.

- Cessez de vous sentir trop touché par la souffrance des autres. C'est comme si l'autre vivait deux fois et vous, de moins en moins. Compassion est bien différent d'absorption.

- Apprenez à rester calme. Ce n'est pas parce que vous pleurez ou que vous vous mettez en colère que votre voiture sortira du banc de neige plus vite, que quelqu'un cessera de vous harceler ou que l'eau s'arrêtera de couler de l'étage au-dessus. L'acceptation au lieu de l'opposition à ce qui arrive peut faire toute la différence. Et surtout, gardez le sourire.

- Posez-vous les questions suivantes : Quelles sortes d'énergies produisez-vous du matin au soir ? Quelles sont vos pensées, vos images mentales et vos attitudes ? Nous jouissons tous du libre arbitre pour diriger notre vie à notre guise ; qu'en faisons-nous ? Vers quoi dirigez-vous votre attention ?

- Dans les situations difficiles, profitez-en pour vous servir de ressources positives. Prenez l'exemple d'une entreprise qui serait sur le déclin et à laquelle je propose de l'aider. Si sa philosophie est négative, elle risque de refuser de participer à mes cours parce que cela va trop mal pour investir du temps et de l'argent sur ces choses-là. C'est plutôt ironique. C'est justement quand les affaires vont moins bien qu'il faut redoubler d'ardeur sur la voie de la pensée positive et du plaisir même si, à première vue, cela peut sembler

## Exercice

### Réflexion sur l'élargissement de la confiance

Lors de conférences, il m'arrive de proposer cet exercice de prise de conscience.

Je demande aux gens de fixer un point au centre d'un mur et, tout en fixant ce point, de regarder à un mètre de chaque côté, puis à deux mètres, et ainsi de suite jusqu'à ce qu'ils puissent voir l'ensemble du mur tout en continuant de fixer le point de départ. L'objectif de ce jeu est de faire réaliser aux participants que, si nos yeux demeurent rivés uniquement sur le problème, la solution est peut-être tout près, mais on ne la verra que si on élargit sa conscience.

un défi. Quand la transformation intérieure s'accomplit, la transformation extérieure le fait aussi.

- N'essayez pas de changer certains événements, améliorez plutôt vos réactions.

- Dites-vous «Détends-toi, relâche» en utilisant le ton approprié.

- Jouez, amusez-vous, riez, profitez de la vie au lieu de la subir.

- Pardonnez. Se venger, c'est être heureux un instant; pardonner, c'est être heureux toujours. Pardonner est différent d'oublier. C'est accepter que la personne ne pouvait faire mieux à ce moment, avec ce qu'elle était et ce qu'elle avait comme ressources. Rappelez-vous que «chaque personne fait du mieux qu'elle peut au point où elle est rendue», et ajoutez «... moi aussi». On peut même pardonner à une personne absente ou décédée. Quand on pardonne, on libère deux personnes : soi-même et l'autre. Il faut se dire : «Je me pardonne et je pardonne aux autres pour le passé.» Cette phrase peut même vous aider à réduire, voire à faire disparaître une douleur, je l'ai déjà expérimenté. L'approche psychosomatique et métaphysique de la santé fera partie de mon prochain ouvrage, mais je me permets de vous glisser ce petit truc en passant. La douleur est souvent reliée à de la culpabilité inconsciente. Alors, pendant environ quinze minutes, détendez-vous, faites le vide mentalement et, tout doucement, répétez-vous : «Je me pardonne et je pardonne aux autres pour le passé.» Si vous pouvez

Un pompier regarde un petit garçon qui joue dehors. L'enfant a peint un chariot en rouge et placé des échelles sur le côté, comme un camion de pompiers.

  L'homme, tout impressionné, s'approche et voit un chien et un chat attachés pour tirer le chariot. Le chien est attaché par son collier et le chat, par la queue. Le pompier dit au petit garçon : «Si tu attachais le chat à son collier, tu pourrais aller beaucoup plus vite.» Et l'enfant répond : «Oui, je sais, mais je n'aurais pas de sirène.»

poser vos mains sur l'endroit douloureux en même temps que vous vous répétez cette phrase, ce sera encore mieux. Vous pourriez être très surpris du résultat. Pardonner et cesser de résister, c'est laisser aller l'entêtement conscient et inconscient et choisir la flexibilité et la liberté.

- Lâcher prise, c'est réaliser que « l'amélioration du monde qui nous entoure commence par l'amélioration de soi », c'est devenir transparent, sans gêne face à la personne qu'on est. C'est accepter de montrer ses défauts, ses peurs et accepter de l'aide si le besoin est là.

Une maman doit s'absenter quelques instants. Elle dit à son fiston : « Reste calme et ne fais pas de bêtises, j'en ai pour cinq minutes. » Au retour, elle demande : « J'espère que tu n'as pas fait de bêtises !

— Non, maman, j'ai juste tué cinq mouches, deux femelles et trois mâles.

— Ah oui ! mais comment as-tu fait pour connaître le sexe ?

— Bien, c'est facile, maman, il y en avait trois sur la caisse de bière et deux sur le téléphone ! »

- Dites-vous : « Je me libère du besoin de résistance. » C'est tout aussi puissant que la phrase sur le pardon. Les besoins inconscients sont des formes de fausse sécurité et des mécanismes d'auto-défense qui se sont développés au fil des années et qui peuvent être libérés par différents trucs. Ils sont souvent des moyens de fuir des situations non désirées ou encore les signes d'une retenue. Quoi de mieux qu'un bon mal de tête pour ne pas avoir à aller à une activité ? La constipation ne serait-elle pas un indicateur d'une trop grande retenue par rapport à une situation ? Le manque d'argent résulterait-il d'un blocage de l'énergie d'abondance qui doit circuler librement de l'intérieur vers l'extérieur ? La cause du blocage pourrait-elle être la peur ? Eh oui, si l'argent ne circule pas librement et abondamment dans votre vie, vérifiez quelles sont vos peurs quant à l'argent. Est-ce la peur d'en manquer ou d'en avoir trop et de ne pas savoir le gérer? Il faut se libérer du besoin de se sentir en vie par la sensation négative. On doit percevoir la vie qui coule en soi à travers le sentiment que l'abondance de santé, d'amour, de joie, d'argent entre dans nos vies. Les résultats ne peuvent par le fait même que s'y accorder. Imaginez que vous laissez tomber les choses devenues inutiles du haut d'un hélicoptère qui survole l'océan et que vos rêves prennent forme au rythme des sensations et des images correspondantes que vous entretenez avec ferveur. Lâcher prise sur le négatif, c'est un peu tout cela aussi.

- Assouplissez vos attitudes. Supposons que vous ayez un nœud à un lacet de chaussure. Est-ce la faute du lacet si vous vous choquez? A-t-il volontairement décidé de s'emmêler pour vous embêter? Vous réalisez sûrement que le degré de difficulté d'une situation est proportionnel à notre degré de résistance. On doit bien équilibrer ses réactions avant de s'emporter.

Un jour, un homme célibataire décide de faire paraître une petite annonce dans le courrier du cœur du journal local. Il y inscrit: « Homme Balance cherche femme stable. »

Développez votre flexibilité face aux changements, comme le roseau qui plie sous les grands vents, ce qui l'empêche de casser. Soyez vous-même et moquez-vous de ce que les autres vont penser. À ce sujet, je vous propose de découvrir comment contenter Yvon.

*COMMENT CONTENTER YVON ?*
Si tu es pauvre, Yvon dire que tu ne sais pas t'administrer
Si tu es riche, Yvon dire que tu es malhonnête
Si tu as absolument besoin de crédit, Yvon te le refuser
Si tu es prospère, Yvon te faire des faveurs
Si tu es en politique, Yvon dire que tu acceptes des pots-de-vin
Si tu n'es pas en politique, Yvon dire que tu n'es pas patriote
Si tu es charitable, Yvon dire que tu veux paraître
Si tu n'es pas capable de donner, Yvon dire que tu es Séraphin
Si tu pratiques ta religion, Yvon dire que tu es sauté
Si tu n'es pas pratiquant, Yvon dire que tu fais une mauvaise vie
Si tu as beaucoup de peine, Yvon dire que tu veux te faire prendre en pitié
Si tu es heureux, Yvon dire que tu vis sur un nuage rose
Si tu es affectueux, Yvon dire que tu es un faible
Si tu n'es pas affectueux, Yvon dire que tu n'as pas de cœur
Si tu meurs jeune, Yvon dire que tu avais tout pour réussir
Si tu vis vieux, Yvon dire que tu déranges la société
Si tu économises ton argent, Yvon dire que tu es avare
Si tu dépenses tes sous, Yvon dire que tu es irresponsable
Si tu travailles fort, Yvon dire que tu ne profites pas de la vie
Si tu ne travailles pas, Yvon dire que t'es lâche comme un âne
Mais si tu te fiches d'Yvon, Yvon te respecter !

Vous n'avez rien à prouver à personne, vous avez juste à faire votre possible pour être bien. Il faut être à l'écoute de vos besoins fondamentaux, dédramatiser les situations le plus possible, apprendre à vous écouter au lieu de subir les influences négatives, les résistances ou les mauvais conseils.

Jos demande à un passant aux allures bizarres : « Quel est le meilleur moyen pour aller à l'hôpital de l'arrondissement ?

— C'est bien simple, traversez la rue Principale à 17 h en gardant les yeux fermés. »

## Le commérage

Avez-vous remarqué à quel point l'être humain a un malin plaisir à se mêler des affaires des autres, à avoir « le nez fourré partout », comme on dit ? Monsieur Chose n'a pas encore tondu son gazon, la voisine a étendu ses grandes culottes sur la corde à linge, elle élève ses enfants de telle façon, elle a des varices, et la liste pourrait continuer indéfiniment, car c'est devenu un sport. Les gens aiment se comparer pour tenter de se revaloriser. Moi, je vous dis, s'il vous plaît, évitez les étiquettes négatives et parlez aux gens en voyant leur âme plutôt que leur physique et tout va changer. N'est-ce pas ce que vous aimeriez qu'ils fassent pour vous ?

Deux agriculteurs comparent leurs terres. Le premier dit : « Ma terre est tellement belle et grande que je me lève le matin, je monte sur mon tracteur et ça me prend plus de deux heures pour faire le tour. » Le second lui répond : « Tu n'as rien vu ; moi, ma terre est tellement belle et grande que je prends mon auto et j'en ai pour la journée à faire le tour. » Le premier rétorque : « Je te comprends, j'en ai déjà eu une auto comme ça ! »

Les gens aiment se donner du crédit personnel, mais de quelle façon le font-ils? Vous savez comme moi que rien ne remplace la bonté, la bonne humeur, le plaisir de rendre service et l'amour pour se sentir rempli de l'intérieur. Si on a besoin de tenter de bien paraître avec le matériel pour se revaloriser, serait-ce le signe qu'il faut améliorer la confiance et l'amour de soi? Vous avez sûrement remarqué que, quand tout va bien, les gens se vantent: «Je suis un bon conducteur, je n'ai jamais eu d'accident.» S'ils en ont un, ça devient alors la faute de l'autre ou de la météo. Vive la simplicité et l'humilité! On doit éviter de vivre pour épater la galerie, car plus quelqu'un cherche à éblouir, plus il démontre qu'il est peu impressionné par lui-même et qu'il ne peut se valoriser par la beauté de sa personnalité. Il se sert d'une béquille qui est le matériel pour arriver à ses fins. Nous n'avons aucunement à juger cette personne. Il faut y voir une grande soif d'amour et d'attention déguisée. L'ouverture à la simplicité et à l'estime de soi pourra réellement assouvir son besoin d'importance. Plus on vit en connexion avec son moi profond, moins on a besoin de se vanter. En tout temps, il faut voir que c'est le comportement de la personne que nous n'aimons pas et non la personne elle-même, car chaque être humain vit pour se bâtir un plus grand bonheur, mais chacun prend des chemins différents. C'est le chemin de l'évolution qui permet de faire les correctifs.

Soyez bon avec vous-même. Attention au piège qui fait qu'on a l'impression de se sentir une meilleure personne si on se sent coupable ou qu'on entretient des remords. Si vous restez au beau milieu de l'orage, ne blâmez pas le temps qu'il fait. Tant qu'on ne fait rien de différent, on ne peut rien obtenir de différent. Tant qu'on ne pense pas différemment, on n'obtient pas de résultats différents non plus. Tout est action / réaction.

Dites-vous «Je suis toujours au bon endroit, au bon moment, avec les bonnes personnes», et c'est ce que vous allez attirer.

## Comment trouver nos réponses

Plusieurs cherchent leurs réponses auprès des autres (médecins, psychologues, astrologues, médiums, etc.). C'est bien de se faire aider, mais la vraie vérité, les vraies réponses sont en chacun de nous.

Un ivrogne se présente pour la sixième fois au guichet du cinéma. La préposée lui demande: « Mais, Monsieur, que se passe-t-il? Ça fait six fois que vous venez acheter un billet!

— C'est pas ma faute, dit-il, il y a quelqu'un à l'entrée qui le déchire toujours. »

Pour vous aider à trouver des réponses sur vos orientations, vous pouvez vous inspirer de ces quelques questions.

- Qu'est-ce qui me fait vibrer positivement?

- Qu'est-ce qui me fait plaisir?

- Quels sont mes désirs les plus chers?

- Quels sont mes talents?

- Quels sont mes loisirs préférés?

- Est-ce que je m'aime vraiment?

- Quel est le type de relations que je souhaite?

- Ai-je du plaisir tous les jours, au moins durant quelques minutes?

- Est-ce que j'aime mon travail et est-il en accord avec mes aspirations? Ou suis-je là seulement pour la paie?

Pour chacune de ces questions, demandez-vous quoi faire pour changer. Ce sont quelques balises pour trouver votre voie. Évitez de remettre le bonheur à plus tard et soyez à l'écoute de votre petite voix. L'intuition et la créativité sont des outils merveilleux, mais trop de gens les ont laissées s'endormir. Chacun connaît ses réponses. Le problème, c'est que la logique et la raison prennent le dessus sur l'intuition. Revenez à vos valeurs et commencez progressivement à faire des choses qui sont en accord avec vous-même. Votre soleil intérieur va ainsi illuminer votre visage, tout comme les sourires et les rires qui en jailliront de plus en plus!

Un ami me racontait qu'à l'âge de sept ans il s'était retrouvé au confessionnal. Après le récit de ses péchés, le curé lui donna sa pénitence : « Tu vas réciter trois Je vous salue, Marie.
— Qu'est-ce que je vais faire ? J'en sais juste un. »

## Comment réagir aux critiques négatives

- Quand quelqu'un vous critique, vous n'avez même pas à bouger le petit doigt, car la vie est faite pour que tout revienne à son auteur selon ce qu'il génère, le positif ou le négatif. Nos pensées sont comme une pierre qu'on jette à l'eau. Il y a des ondes qui reviennent vers le centre, donc ce que nous pensons nous revient avec la même énergie que celle utilisée pour la projeter vers les autres. On récolte ce qu'on sème, tout simplement. On a le choix de semer des fleurs ou de la mauvaise herbe. Rien ne vous empêche de vous faire respecter poliment, mais ayez cette idée en tête.

- Si les autres vous critiquent, serait-ce qu'ils vous envient ? Réjouissez-vous alors d'être leur source d'inspiration !

- Évitez de vous vanter, résistez à la tentation. Nos résultats vont souvent parler beaucoup plus que nos paroles. « Ce que tu fais parle si fort que je n'entends pas ce que tu dis. »

Vedette : personne qui travaille dur toute sa vie pour être reconnue et qui porte ensuite de grosses lunettes noires pour ne pas être reconnue.

- Quand quelqu'un vous fait une critique négative, voyez cela comme le reflet de sa propre souffrance au lieu d'y réagir personnellement. En optant pour cette attitude, vous allez prendre par surprise l'autre personne, car ce type de comportement est une preuve d'orgueil et de désir d'avoir raison, de gagner et, surtout, de faire sentir l'autre perdant. Vous faites alors deux gagnants si vous évitez de nourrir cette énergie destructrice.

L'histoire se passe dans le stationnement d'un bar. Un homme ivre remarque une grosse bosse sur la portière de sa voiture. Découragé, il se demande ce qu'il devrait faire. C'est alors qu'un gentil monsieur comique lui dit à la blague de souffler dans le tuyau d'échappement afin de créer une poussée d'air qui fera disparaître la bosse. Il se met donc à souffler dans le tuyau. Pendant ce temps, un autre gars saoul s'approche et dit:

« Que fais-tu?

— J'essaie de débosseler la portière de ma voiture.

— T'es bien stupide! Ça marchera jamais!

— Pourquoi?

— Parce que les fenêtres de ton auto sont ouvertes! »

## Quoi répondre aux critiques négatives?

Si quelqu'un vous lance une platitude, vous pouvez lui répondre en utilisant différentes phrases qui auront pour effet de le retourner à lui-même et d'éviter la confrontation.

- « J'accepte ton opinion même si elle est différente de la mienne et que, pour l'instant, j'ai de la difficulté à comprendre ton point de vue. »

- « Je reconnais que ce que tu amènes comme propos est important pour toi. »

- On vous dit : « C'est bien stupide ce que tu fais. » Vous pouvez répondre : « Selon qui ? » ou encore « C'est ton avis. » C'est l'effet boomerang.

- Un spécialiste de la critique vous importune dans une réunion. Évitez de vous emporter. Le calme est source de bonnes réactions et de sagesse. Il est plus fort que tout et désarme l'adversaire. Cette attitude posée permet de conserver l'appui de ceux qui sont susceptibles de vous soutenir.

- Vous vous faites dire : « C'est bien laid ce que tu portes. » Vous pourriez répondre : « Merci de m'en informer » ou « Merci, j'ai compris. » À propos stupides, réponse insignifiante, n'est-ce pas ? Si vous avez à expliquer pourquoi vous avez répondu cela, dites simplement : « Je considère que c'est ton point de vue, mais ça n'a rien à faire avec moi. » Imaginez l'effet de surprise déroutant que cela peut avoir sur quelqu'un qui voulait vous narguer quand il s'aperçoit que ça vous laisse indifférent et qu'en plus il se fait dire merci. Il ira se chercher une victime ailleurs, car avec vous son jeu est découvert et, en plus, il n'a pas obtenu l'attention qu'il voulait. Amusez-vous à vous affirmer, ce sera par le fait même un pas de plus vers la confiance en soi.

- Voici une autre réplique à un propos blessant : « Tu te sens comment en dedans quand tu dis ça ? » Si la personne ose répondre qu'elle se sent bien, dites-lui que le rouge lui va bien. S'il vous répond « Ça me défoule », vous pouvez lui dire : « D'accord, je comprends que c'est le mieux que tu puisses faire en attendant d'avoir d'autres ressources pour t'aider à mieux communiquer. » Évitez les guerres de points de vue.

Dites-vous que ceux qui tentent de décourager vos projets (même si cela peut être inconscient de leur part) sont souvent ceux qui sont incapables de mettre les efforts nécessaires pour réussir ; en fait, ils camouflent leur laisser-aller en diminuant les autres pour que ceux-ci se sentent moins bien.

## Fuir le jeu de la victime

- Le jeu de la victime est très apprécié, car on est dans une société où elle attire la sympathie et l'attention, voire l'admiration. Par contre, être victime, c'est se rendre volontairement impuissant, s'attirer des désordres physiques, des accidents, des agressions, etc.

- Ce jeu amène la personne à se sentir impuissante. Elle est convaincue que quelqu'un d'autre ou quelque chose d'autre a le dessus sur elle. Plus une personne utilise ses problèmes pour avoir de l'attention, plus elle pense que la vie est injuste et plus on abuse d'elle.

- Bien qu'une victime semble souffrir d'une certaine situation, elle n'est pas vraiment motivée pour l'améliorer car, au plus profond d'elle-même, elle ne connaît pas d'autres moyens d'avoir la même attention. Un intervenant me racontait avoir eu une grand-maman en consultation. Ses enfants demeuraient tous à l'extérieur et venaient rarement la voir, pris qu'ils étaient dans le tourbillon de leurs activités. L'inconscient de cette dame avait trouvé un bon filon pour avoir de l'attention. Quand elle n'avait pas vu ses enfants depuis un moment, comme par magie, un malaise se déclarait et leur inquiétude les ramenait à son chevet. Heureusement, elle a pu découvrir la source de ses problèmes, se reprendre en main et devenir capable d'aller visiter ses enfants. Vive l'autonomie, les projets, et le rire bien sûr!

- En cultivant le jeu de la victime, on s'expose à se retrouver dans des situations toujours plus graves pour combler son besoin d'attention. Un autre facteur négatif relié au rôle de victime est à remarquer. Celle-ci attire la pitié et se fait souvent dire, par exemple: «Pauvre toi!» Cela nourrit la perception de victime et éloigne l'abondance.

Onze personnes sont suspendues à une corde accrochée à un hélicoptère. L'une d'elles doit absolument lâcher prise, sinon la corde cassera et tous mourront. Personne ne peut se résoudre à lâcher. Finalement, l'un d'eux fait un discours vraiment touchant et explique pourquoi il est prêt à sacrifier sa vie. Quand il termine son discours, tous les autres applaudissent.

*Les mystères de la vie*
Pourquoi les gens commandent-ils un *cheeseburger* double, une grosse frite et un Coke diète?
Pourquoi les banques laissent-elles leurs deux portes ouvertes, mais enchaînent les stylos au comptoir?
Que trouve-t-on sous la soutane d'un prêtre? Un membre du clergé.

## Trucs simples pour sortir du rôle de victime

- Demandez à ceux qui vous entourent de relever vos attitudes de victime chaque fois que vous vous plaignez ou du moins le plus souvent possible, en vous disant intentionnellement et de façon comique et accentuée «Pauvre toi!», et donnez-vous le droit de ne pas aimer vous le faire dire. La prise de conscience se fera, ainsi que le changement.

- Évitez le contrôle, c'est-à-dire n'essayez pas de ne plus vous plaindre; donnez-vous plutôt le droit de le faire.

- Posez-vous la question suivante: «Qu'est-ce que je gagne avec cela?»

- Comment saurez-vous que vous avez dépassé cet état de victime? Lorsque vous saurez attirer l'attention des gens par l'authenticité de votre bonne humeur et de votre sourire.

Voici deux exercices comiques pour faciliter les relations difficiles.

## Exercice

### Déguisez les gens mentalement

Pour dédramatiser une situation, vous pouvez vous aider du jeu suivant. Cet exercice n'a aucunement pour but de faire du mal à qui que ce soit. Son objectif est seulement de vous aider à changer la perception disproportionnée que vous pouvez avoir d'une situation déplaisante. Prenons l'exemple d'une personne avec qui vous avez quelques différends. Quand vous pensez à elle, peut-être éprouvez-vous un sentiment désagréable. Afin de vous aider à régler ce problème, je vous propose de la déguiser mentalement.

L'idéal est de faire ce jeu les yeux fermés et rapidement, pour éviter les analyses du mental. Alors, soit vous lisez la procédure avant et vous jouez ensuite, soit un ami vous fait faire le jeu.

Imaginez la personne en question qui vous « engueule » et, plus il le fait, plus sa bouche va de gauche à droite, si bien qu'elle touche ses épaules.

Vous la voyez avec un gros nez de clown rouge et ridicule, avec un immense chapeau de paille rose et noir, avec les deux bras sur le même côté du corps, avec des oreilles de chien, des pattes de canard, une queue de lapin décentrée. Plus elle crie, plus sa bouche s'étire vers son nombril, si bien qu'elle doit la tenir avec ses mains. Mais elle a des problèmes, car elle porte d'immenses gants de boxe pleins de mélasse et tout cela colle partout.

Soudain, sa voix se transforme et devient celle de Mickey Mouse et elle sort d'un de ses gros orteils.

Vous riez de sa mésaventure et finalement le pétard que vous aviez placé dans sa poche explose et votre personnage disparaît, laissant en vous un sentiment de bien-être extraordinaire.

Toute une aventure, n'est-ce pas? Il se pourrait que vous ayez envie de sourire en rencontrant cette personne-là la prochaine fois et vous pourriez trouver sa présence plus facile à endurer. C'est simple et c'est très efficace si vous jouez vraiment le jeu.

## Exercice

### Changez le code barres mental

Vous pouvez aussi expérimenter un autre exercice pour réduire les effets d'une situation difficile.

Imaginez la situation qui vous dérange. Mentalement, mettez-en l'image dans un cadre imaginaire. Si l'image est en couleur, mettez-la en noir et blanc et vice-versa. S'il y a des sons, enlevez-les. S'il n'y en a pas, mettez-en. Embrouillez cette image le plus possible et voyez-la se réduire jusqu'à devenir un minuscule point aspiré par le soleil et qui brûle vite.

Recommencez ce jeu quelques fois, jusqu'à ce que ce qui vous dérangeait soit beaucoup plus agréable quand vous y pensez.

Faites-le rapidement pour éviter que le mental tente d'analyser ce qui se passe et fasse entrave au résultat. Vous faites ainsi un changement de perception mentale, un peu comme si on prenait un code barres sur un produit et qu'on en modifiait les lignes.

Nos perceptions se présentent un peu ainsi. Elles sont comparables à un ensemble de sons et d'images qui sont structurés pour nous faire sentir plus ou moins bien dans telles ou telles circonstances. Avec ce genre de jeu, c'est comme si vous modifiiez la formule négative pour qu'elle cesse de vous causer du souci.

## Rire au lieu de se choquer

La vie nous offre bien des occasions d'expérimenter le lâcher-prise. Récemment, j'étais arrêtée à un feu rouge au volant de ma voiture. Un conducteur âgé était devant moi. Quand le feu est passé au vert, il est resté sans bouger ; quand il est devenu rouge, il s'est engagé

« Docteur, mon mari évite la chose depuis trois mois, que puis-je faire ?

— Faites-lui boire de l'eau avec du miel pendant un mois. »

Elle revient voir le médecin un mois plus tard.

« Et puis, votre mari ?

— Il bourdonne, mais il ne pique pas encore. »

dans l'intersection. J'avais le choix : maugréer ou, au contraire, en rire et dire merci d'avoir de bons réflexes et d'être en santé. Le rire est un exercice de détachement, car on s'éloigne du rationnel en s'élevant au-dessus de la situation.

Évitons de créer des monstres avec le quotidien. Vous souvenez-vous quand nous étions enfants et que, le soir venu, nos parents éteignaient la lumière pour le dodo ? Combien ont crié : « Maman, il y a un monstre sous mon lit » ? On évitait d'avoir une jambe ou un bras en dehors des draps de peur que le monstre nous croque. Cela nous fait sourire d'y repenser. Nous réagissions avec les ressources que nous avions à ce moment-là. Se pourrait-il qu'en ayant plus de ressources la fausse croyance concernant les monstres s'estompe ? C'est précisément ce que vous êtes en train de faire. Félicitations !

Quelle différence y a-t-il entre les seins d'une femme et un train électrique ?

Aucune. Les deux sont destinés aux enfants, mais c'est toujours le père qui joue avec.

## Questions dynamisantes pour redéfinir les perceptions

- Au lieu de se demander «Pourquoi est-ce toujours à moi que ça arrive?», se dire «Qu'est-ce qui en moi attire ce genre de situations?» Cela fait sortir du rôle de victime et amène à devenir responsable de sa vie et de ses résultats.

- Au lieu de se demander «Pourquoi ceci ou comment se fait-il que ce problème soit encore là?», se dire «Qu'est-ce qui fait que je laisse autant les circonstances extérieures influencer mes émotions et mon bien-être?».

- Au lieu de se demander «Quelle difficulté va encore m'arriver demain?», se dire «Y a-t-il quelque chose d'utile dans l'anxiété et l'inquiétude?». Alors, ajoutons des ressources pour nous en sortir.

- Au lieu de se demander «Pourquoi un tel agit-il ainsi?», se dire «Qu'est-ce qui en moi accepte de souffrir du comportement d'un autre ou des autres?» Illuminez-les et souhaitez leur du bien au lieu de bouillir intérieurement.

- Au lieu de souvent demander l'approbation des autres, se dire «Qu'est-ce que je veux?» L'approbation de tous pour me rassurer ou une vie paisible, basée sur mon intuition?

Les voisins forment un couple très complémentaire. Elle est professeure de mathématiques et lui est plein de problèmes.

# Dédramatisez par le rire

- Ayez de temps en temps une démarche totalement décontractée et un peu exagérée, les genoux pliés, le sourire aux lèvres, la tête et les bras qui balancent.

- À l'opposé, adoptez une démarche volontairement stressée et tendue pour amplifier les tensions existantes et relâchez en continuant avec la démarche détendue.

- Essayez la démarche vers le futur. Épaules par en avant, fesses crispées, bouche tendue, sourire pincé, jambes raides et poings serrés, marchez vite, comme le ferait une personne qui court après le temps. Jouez à cela au bureau ou à la maison. Rien de mieux que d'exagérer un comportement pour en rire et l'affaiblir. Cette démarche éveille une prise de conscience de l'agitation de certaines journées.

 **Exercice**

### Le défoulement

Écrivez ce qui vous dérange sur un bout de papier et déchirez-le avec vigueur. Vous pouvez ensuite brûler les morceaux et les jeter à la toilette ou à la poubelle. J'ai déjà fait faire cet autre exercice à des participants lors d'ateliers de gestion du stress par le rire et le jeu. Je leur donnais une feuille sur laquelle était inscrit: «Bon de colère. En cas d'urgence, chiffonnez vigoureusement et jetez dans un coin.» Je suggérais aux gens d'y écrire ce qui les dérangeait à ce moment-là dans leur vie, peu importe le langage utilisé. Quand chacun avait fini, je montais le niveau d'énergie de la salle par différentes approches que j'ai personnalisées. Je favorisais le désir de se débarrasser de cela en faisant en sorte que le plaisir soit à son maximum, et là, les gens devaient froisser leur feuille vigoureusement et avec défoulement, la lancer derrière eux et ensuite la piétiner. Quel effet merveilleux! La tension retombait à tout coup.

- Expérimentez la démarche lente et déprimée. Le bassin vers l'avant, les épaules par en arrière et arrondies, la tête qui balance mollement, le sourire absent, les genoux pliés et la tête qui gratte, essayez de vous sentir en forme. Qui peut dire que la physiologie n'influence pas la façon dont on se sent ? Si vous le faites en groupe, ajoutez-y le sourire et voilà le déclenchement de rires spontanés et continus.

- Respirez profondément et lentement. Gardez le sourire.

- Faites-vous des grimaces dans le miroir de la salle de bain et, si vous vous sentez ridicule, continuez pour briser ce seuil de résistance. Étirez-vous, bâillez.

- Amusez-vous à vous donner le droit de rire et d'être heureux.

* * *

En terminant ce chapitre un peu spécial, je partage avec vous cette anecdote qu'une cliente m'a racontée. Elle travaillait dans une banque. À la suite d'un vol à main armée, plusieurs employés étaient très nerveux de retourner au travail le lendemain. Ce matin-là, elle s'est demandé ce qu'elle pouvait faire pour aider les autres à dédramatiser la situation. Avant d'entrer dans la banque, elle a déniché le bras d'un mannequin de vitrine, l'a enduit de sauce tomate et a mis dessus quelques morceaux de tissu déchirés. Elle l'a ensuite placé à l'endroit où le voleur était entré. La façon dont son montage était fait laissait croire que le voleur en avait « arraché ». Ils ont beaucoup ri ce matin-là au lieu de paniquer.

*Laisser couler la vie*

Pourquoi lutter et vouloir tout contrôler ? Tout ce qui arrive dans ta vie peut te servir à apprendre à t'aimer. Il n'y a rien de mal ou de mauvais. Il n'existe que des expériences pour apprendre.

Lorsque tu étais petit, tu ne t'inquiétais pas pour le lendemain. Tu faisais confiance à tous ceux qui prenaient soin de toi. Tu laissais la vie être. Tout ce qui importait, c'était les choses excitantes qui parfumaient ton quotidien : tes jouets, ta bicyclette, tes bonbons préférés... Aujourd'hui, cet enfant est toujours là. Il suffit de l'écouter. Il a toujours besoin de la même chose : apprendre à aimer, à s'aimer. Bien sûr, tu as grandi. C'est maintenant ta responsabilité de prendre soin de toi. Écoute cet enfant en toi, il a tellement à te raconter. Personne d'autre que toi ne peut lui donner ce dont il a besoin, car toi seul détiens le code de son langage intérieur. Rappelle-toi ces moments où tu étais un héros. N'y avait-il pas en toi une confiance inébranlable à l'égard de tes pouvoirs ? Tu es encore ce héros. Si tu es en train de lire ceci aujourd'hui, c'est que tu en as fait du chemin, car tu es en vie. Tu as appris à marcher, à parler, à lire, à écrire, à travailler, à demander, à pardonner...

Tu as tout comme moi appris que l'on n'achète pas l'amour, mais qu'il se bâtit en soi, pour soi. L'amour de soi est à la base du bonheur. On le développe en se donnant le droit d'être ce que l'on est, sans se juger. Nous avons tous nos différences, nos peurs, nos limites, nos croyances, nos peines, nos joies, nos faiblesses et nos qualités. Accepte que les autres ont aussi les leurs. Si tu crois que les autres sont supérieurs à toi, tu entretiens une fausse croyance.

Nous sommes tous nés avec le même pouvoir, celui de créer notre vie. Le pouvoir de l'amour est plus fort et plus bénéfique que l'amour du pouvoir.

# Chapitre 9

# La santé mentale au travail

## Un sérieux fléau

Selon le site http://cgsst.fsa.ulaval.ca/smt3/P6.HTML, les problèmes de santé mentale au travail constituent l'un des enjeux majeurs auxquels sont présentement confrontées les organisations. Une étude récente de Santé Québec révèle une hausse considérable de la détresse psychologique chez les travailleurs, qui est passée de 17,3 % en 1987 à 25,5 % en 1993 . En sept ans, le nombre de réclamations à la CSST (Commission de la santé et de la sécurité du travail) pour des lésions professionnelles a occasionné des déboursés annuels qui sont passés de 1,5 million à 5,1 millions.

Au Canada, les demandes d'invalidité accompagnées d'un diagnostic d'anxiété ne représentaient que 11 % du nombre total des demandes en 1985 ; en 1998, elles passaient à 29 %. C'est près de 500 000 Canadiens qui s'absentent chaque semaine pour des problèmes de santé mentale au travail. Les coûts sociaux attribuables à ces problèmes s'élèvent, au Canada, à plus de 20 milliards par an et, seulement au Québec, ces coûts atteignent tout près de 4 milliards de dollars annuellement.

Aux États-Unis, le temps de travail moyen perdu en raison du stress a augmenté de 36 % depuis 1995. On considère que des 550 millions de jours de travail perdus annuellement, 54 % le seraient en raison du stress. L'impact financier de ce problème se chiffre à plus de 200 milliards de dollars par année chez les Américains.

Toujours selon le même site, cette augmentation des absences occasionnelles, des invalidités de courte et de longue durée entraîne, sans contredit, une diminution du moral des troupes et, par le fait même, de la productivité et de la qualité du travail.

# Interventions primaires

Il y a trois niveaux d'interventions à considérer quand on parle de stress au travail. La prévention de niveau primaire vise la réduction ou l'élimination proprement dite des sources de problèmes de santé mentale au travail.

## Redéfinir les tâches

L'organisation peut modifier les tâches afin de mieux les adapter aux travailleurs. On peut favoriser un style de management participatif et décentraliser le processus décisionnel pour ainsi augmenter le niveau de participation des employés. Cette façon de faire peut avoir un impact positif sur leur sentiment d'appartenance à l'organisation.

## Analyser les rôles et établir des buts

L'organisation peut clarifier les rôles des travailleurs afin de réduire les risques de confusions ou de conflits. Il lui sera aussi possible de définir clairement les différentes attentes à l'égard des travailleurs et d'établir des buts et objectifs précis qui s'adaptent à ces attentes et aux différentes personnalités.

## Procurer un soutien social et faire des suivis

L'organisation peut aider les travailleurs à développer des relations qui favorisent le soutien mutuel ou de la part des supérieurs ainsi qu'encourager une attitude de partage et d'entraide. Il est aussi important pour les gestionnaires d'offrir aux travailleurs des encouragements à propos de leurs réalisations. La reconnaissance du travail de chacun des membres de l'équipe est un levier important pour favoriser un bon équilibre psychologique et elle doit se manifester au quotidien à travers des gestes simples et significatifs. Le rire partagé est une excellente porte d'entrée.

## Établir des horaires de travail flexibles

L'organisation peut donner plus de latitude aux travailleurs quant à la gestion de leur temps de travail. Il leur sera ainsi plus facile de concilier leur vie personnelle et leur vie professionnelle.

## Améliorer les conditions de travail

Où cela s'avère possible, l'organisation peut réduire à leur minimum les niveaux de bruit et de chaleur ou simplement reconsidérer l'éclairage, le nombre de travailleurs dans un espace, les fournitures et équipements utilisés, etc. Ces facteurs influencent le climat et l'environnement de travail et peuvent, par conséquent, améliorer le confort des individus et leur niveau de performance au travail. Que ce soit au niveau des salaires ou des promotions, l'organisation doit veiller à définir des politiques qui soient claires et équitables. Mettre de la musique d'ambiance douce ou rythmée en alternance, faire entendre des enregistrements humoristiques, etc., sont autant de façons de détendre l'atmosphère et de stimuler le plaisir au travail.

# Interventions secondaires

L'individu manifeste déjà certains signaux d'alarme démontrant que son équilibre est affecté. Les activités de sensibilisation doivent être simples et favoriser une prise de conscience chez les travailleurs. Il peut s'agir de mémos par le biais du courrier électronique, de déjeuners ou de dîners-conférence, d'ateliers ou de séminaires sur la santé mentale au travail. Les programmes de développement des habiletés doivent viser à renforcer les ressources de la personne pour l'aider à accroître son niveau de résistance aux situations susceptibles d'engendrer des problèmes de santé mentale au travail. On peut penser à :

- des activités de relaxation, notamment des séances de danse, de jeu, de visualisation, de respiration ou toute autre forme d'activité pouvant favoriser la détente ;

- des activités de restructuration cognitive amenant les individus à voir qu'ils peuvent modifier leurs perceptions et réactions face aux

différentes situations à risque afin d'en diminuer les effets négatifs en créant une autoresponsabilisation ;

- des activités favorisant une modification du style de vie, comme
des séminaires sur la gestion du temps, du stress ou des conflits,
etc. ;

- des séances de rire ;

- des informations sur la saine alimentation, les bienfaits de l'exercice physique, des trucs pour mieux dormir, etc. ;

- des programmes de formation axés sur le développement de l'humain plutôt que sur la technique.

*Instructions loufoques pour évacuer la réaction de stress engendrée
par un collègue irritant qu'on laisse nous influencer.*
1. Créer un nouveau dossier dans son ordinateur.
2. Lui donner le nom du collègue.
3. Le mettre à la poubelle.
4. Vider la poubelle.
5. L'ordinateur demandera : « Voulez-vous vraiment éliminer… ? »
6. Répondre calmement « Oui » en appuyant fermement sur le bouton
de la souris.

Il est recommandé de ne pas répéter l'opération avant la fin du quart
de travail, car il y a un risque d'accoutumance.

## Interventions tertiaires

Le troisième niveau de prévention a pour objet le traitement, la réha-
bilitation, le processus de retour au travail ainsi que le suivi des individus qui souffrent ou qui ont souffert de problèmes de santé mentale.
Les interventions incluent généralement des services pour conseiller

les travailleurs et les orienter, au besoin, vers des spécialistes internes ou externes à l'organisation.

Les facteurs suivants peuvent perturber le bonheur et l'efficacité d'un travailleur : les problématiques liées au travail (épuisement, conflits interpersonnels, insécurité, difficultés d'adaptation à la suite d'un changement, etc.), les difficultés de couple, les problèmes psychologiques (stress, dépression, etc.), les problèmes familiaux (difficultés avec les enfants, les adolescents, les parents, violence, monoparentalité, etc.), les soucis financiers, les problèmes d'abus (alcool, tabac, etc.). Le but premier d'une organisation devrait être de réussir, tant sur le plan humain que sur le plan économique.

Un homme se rend au centre d'emploi pour y trouver du travail. On lui demande ses antécédents professionnels. Il répond qu'il a notamment été chasseur de crocodiles au pôle Nord. Le préposé lui dit : « Mais il n'y a pas de crocodiles au pôle Nord !
— Voilà la preuve que j'ai été efficace. »

## Les nouvelles tendances en affaires

L'entreprise d'aujourd'hui doit s'ajuster aux nouvelles tendances, qui demandent une mise en valeur des besoins de l'individu pour maximiser ses résultats par le plaisir, la compassion, la communication et non par la domination.

L'environnement professionnel, à mon avis, se doit de tendre vers une implication et une valorisation de l'employé. La liberté d'expression, le besoin de se sentir apprécié, le besoin d'être respecté sont fondamentaux. Personne n'aime que quelqu'un tente d'exercer un pouvoir sur lui. Je pense qu'un milieu de travail doit offrir des possibilités d'avancement non seulement sur le plan des tâches et du salaire, mais aussi et surtout sur le plan du développement personnel.

*Très ingénieux*

Une dame entre dans un magasin et dit: «Il y a une erreur sur votre enseigne extérieure. Vous avez écrit « Pâtisserit » avec un t.

— Oui, je sais.

— Mais pourquoi laissez-vous cette erreur?

— Parce que tous ceux qui entrent pour me le dire ne peuvent résister et achètent toujours quelque chose. »

 **Exercice**

## Qu'est-ce qui est fait pour le mieux-être de l'individu au travail?

À votre travail, qu'est-ce qui est fait pour atteindre de tels objectifs? Pouvez-vous spontanément énumérer certains aspects positifs qui vous font vous sentir bien (activités sociales, formations en relations humaines, cours sur le rire, etc.)? Le plaisir est-il présent au quotidien? Si oui, à travers quoi?

_____

_____

_____

_____

_____

_____

**Exercice**

### Qu'est-ce qui serait à faire ?

En contrepartie, qu'est-ce qui pourrait être amélioré ou suggéré (tant par vous que par la direction ou vos collègues) pour dynamiser votre milieu de travail au lieu de le laisser vous « dynamiter » ?

_____

_____

_____

_____

_____

_____

_____

Compte tenu du fait que la principale ressource d'une entreprise est son capital humain, on se doit d'y valoriser des relations harmonieuses, donc chacun a la responsabilité de faire son bout de chemin dans le but de créer plus de plaisir au travail.

Exprimer ses besoins, valoriser les réussites, valider les qu'en-dira-t-on, choisir ce qu'on veut devenir, se mettre en action, accrocher un sourire inté / rieur et exté / rieur, rire de soi-même avant que les autres le fassent constitue déjà des pistes positives à mettre en œuvre. Quand le rire s'empare d'un groupe, il en atténue les différences et rapproche l'humain pour ce qu'il est.

Un jour, un employé d'ascenseur a décidé de colorer son quotidien et celui des gens. À chaque étage, il disait à voix haute la spécialité médicale qui s'y retrouvait, par exemple troisième étage : soins

Le travail d'équipe est essentiel. Cela permet d'accuser quelqu'un d'autre en cas d'erreur.

pour les enfants et les femmes enceintes, cinquième étage : les histoires de cœur, et ainsi de suite. Les gens choisissaient massivement de prendre son ascenseur pour cette petite mise en scène rafraîchissante.

Il vous faut trouver du plaisir dans ce que vous faites, que ce soit au travail ou à la maison. Bien des gens moroses ne se rendent plus compte qu'ils subissent leur vie au lieu de la vivre pleinement. Mettez-vous à la recherche de ce qui peut vous donner du plaisir en tout et fuyez cette routine qui finit par ternir la joie de vivre. Qu'est-ce qui vous stimule à vouloir vivre très longtemps et dans la joie ? Le rire devrait être à la base de votre programme de mise en forme, car il réveille votre médecin intérieur et votre enthousiasme.

Pourquoi ne pas organiser une journée thématique chaque mois ? Lors d'activités avec des enfants, on voit souvent une journée pyjama, une journée disco, une journée chapeau, etc. Pourriez-vous faire quelque chose de semblable ? Gare à la peur du ridicule et aux préjugés !

Deux nigauds discutent. L'un d'eux dit: « Je viens d'inventer une fusée pour aller sur le Soleil.

— Mais tu vas te brûler !

— Mais non, aucun danger, je vais y aller la nuit ! »

## Exercice

**Qu'est-ce qui vous fait rire au travail ?**

_____
_____
_____
_____
_____
_____

## Exercice

**Qu'est-ce que vous aimeriez
qui vous fasse rire au travail ?**

_____
_____
_____
_____
_____
_____

Peu importe ce que vous vivez, dites quelque chose de positif à chaque personne que vous rencontrez.

J'ai travaillé près de 12 ans en milieu éducatif auprès de jeunes enfants et, lors de ces journées, le personnel avait autant de plaisir à aller travailler en pyjama qu'eux. Laissez place à votre imagination. Je sais bien que ça ne peut pas se faire partout, mais je veux juste stimuler votre créativité. Cela pourrait être la journée cadeau du mois.

*Sourions !*

Il était une fois quatre personnages fort connus : Tout le monde, Quelqu'un, N'importe qui et Personne. Un travail important devait être effectué et l'on demanda à Tout le monde de s'en charger. Tout le monde était certain que Quelqu'un y veillerait. N'importe qui aurait pu le faire, mais Personne ne s'en acquitta. En apprenant cela, Quelqu'un se fâcha, car la responsabilité en incombait à Tout le monde. Tout le monde croyait que N'importe qui pouvait l'accomplir, mais Personne ne réalisa que Tout le monde s'y soustrairait. Finalement, Tout le monde mit le blâme sur Quelqu'un, alors que Personne n'avait su faire ce que N'importe qui aurait pu faire.

## Prévenir le burnout

Si je vous en parle, c'est que je l'ai vécu. J'avais négligé de prendre soin de moi suffisamment et d'écouter les signaux que mon corps me donnait. J'ai dû arrêter de travailler pendant près de six mois. Je suis devenue d'une maigreur extrême et j'ai même craint pour ma vie tellement j'avais épuisé mes réserves mentales et physiques. Alors, je comprends ceux qui passent par là. C'est pourquoi je vous dis : soyez alerte à l'égard des messages de votre corps et favorisez la prévention par le plaisir, entre autres.

Je considère qu'il serait inutile de parler des symptômes du burnout, car dans certains cas ils ne font que susciter de la somatisation et faire craindre la situation. Je pense plutôt en termes d'interventions quotidiennes et positives pour favoriser l'équilibre général.

- Quand vous vous levez le matin, ayez l'attitude suivante : aujourd'hui, je m'en vais m'amuser. Ça risque fort de faire une bonne différence.

- Respectez vos limites.

- Est-ce possible de modifier certaines façons de faire votre travail ?

- Êtes-vous impliqué dans une multitude de comités qui surchargent vos horaires ?

- Vous accordez-vous assez de repos ?

- Apprenez à bien vous connaître, car c'est la base de la maîtrise de soi.

- Mettez de nombreux petits plaisirs dans votre quotidien et ayez des loisirs stimulants et qui n'ont rien à voir avec le travail.

- Voyez le changement comme un processus normal dans l'évolution, un peu comme les cycles de la nature. Savez-vous vous émerveiller facilement ? Désirez-vous apprendre autre chose ?

- Faites de l'activité physique, allez danser, jardinez.

- Ayez une bonne hygiène de vie générale.

- Plus on sait comment se gérer harmonieusement, moins on a besoin de contrôler les autres.

- Vivez pleinement le moment présent.

- Habituez-vous à faire de petites choses simples et devenues routinières d'une façon différente. Par exemple, empruntez un nouveau chemin pour vous rendre au travail, mettez vos bas avant votre chandail, etc.

- Cultivez une attitude enthousiaste, pensez positivement.

- Ayez un vocabulaire positif et constructif, qui est en accord avec votre idéal.

- Ce n'est pas la situation qui nous stresse, mais notre réaction à celle-ci.

- Qu'est-ce que ça donne de faire des efforts aujourd'hui pour être plus heureux plus tard si aujourd'hui je ne suis pas heureux?

Autrefois, nos grand-parents vivaient au rythme de la nature. Ils faisaient leur petite sieste l'après-midi, élevaient leurs enfants avec ce qu'ils avaient et appréciaient le peu qu'ils possédaient. Aujourd'hui, nous vivons une course folle contre la montre. Nous avons des maisons de luxe, mais plus le temps d'en profiter et de s'y retrouver. Nous voulons de belles voitures, toutes sortes de belles choses, mais nous travaillons sans arrêt pour payer tout cela.

Où est passé le temps pour faire valoir nos valeurs profondes dans nos vies? Où est passé le temps pour la qualité du temps passé en famille, le ressourcement, la détente, la prévention, la santé, le plaisir et, bien sûr, le rire? Nous avons placé le travail au centre de notre existence. Même nos vacances sont planifiées selon des itinéraires bien précis pour maximiser le temps. Se faire un bon repas est devenu une corvée, les imprévus nous dérangent, bref, est-ce que la vie serait devenue un travail à assumer en soi? Il est temps de se recentrer.

Voici un tableau qui montre l'écart entre une attitude favorable au travail et une attitude dominatrice empreinte d'un manque de confiance en soi.

## Types de comportements

| | |
|---|---|
| Délègue et forme des équipes. | Croit que personne n'est aussi bon que lui. |
| Est calme et confiant. | Est tendu, irritable, méfiant. |
| Encourage et motive. | A une attitude menaçante et est égocentrique. |
| Est sympathique et agréable. | Opprime et s'en prend aux plus sensibles. |

| | |
|---|---|
| Fait preuve de compassion. | Fait preuve de jalousie. |
| Partage l'information. | Cache l'information, manipule. |
| Stimule les collaborateurs en leur faisant une place valorisante. | A très peur de se faire dépasser. |
| Réussira sa vie et en affaires. | Vivra échec après échec. |
| Aime les gens. | Se sent menacé par autrui, car peu confiant. |
| Aime faire plaisir. | Ne pense qu'à ses intérêts. |

C'est en démasquant ces attitudes qu'on peut mieux les transformer. Il n'est aucunement utile de se culpabiliser si on s'y reconnaît parfois. La vie, c'est une suite d'expériences visant uniquement le bonheur, sauf qu'il arrive qu'on doive changer de route pour y accéder, c'est tout.

## Comment savoir si un travail ou une activité nous convient

- Nous avons peine à nous arrêter tellement nous aimons ce que nous faisons.

- Nous y perdons la notion du temps, il passe trop vite.

- Nous sommes automatiquement concentrés sur ce que nous faisons et sommes même difficiles à distraire.

- Nous accomplissons la tâche par plaisir et non par obligation.

- Le plaisir devient plus important que le salaire. Quand on fait ce qu'on aime, l'argent arrive tout seul, car il est un sous-produit de l'amour ou de la passion qu'on ressent tandis que, lorsque nous nous forçons, que nous ramons à contre-courant de nos désirs profonds, nous entretenons notre frustration.

- Nous avons toujours le goût de recommencer quand nous avons dû interrompre le travail.

- Nous avons hâte de nous coucher pour nous relever le lendemain.

- Est-ce que son accomplissement nous épuise ou nous est agréable ?

Peut-être devriez-vous penser à changer d'emploi. Peut-être devriez-vous changer votre attitude à l'égard de celui que vous avez actuellement ou changer de service. Je vous donne un exemple. Un ami me racontait le cas d'une connaissance qui exerce le métier d'infirmière. Même si elle adorait sa profession, il y a quelques années, elle voulait quitter son travail, expliquant qu'elle n'en pouvait plus de subir le stress quotidien à l'urgence de l'hôpital. Elle affirmait être arrivée à saturation. Elle avait décidé de se réorienter vers quelque chose qui serait en lien avec les petits enfants. Mon ami lui a lancé une idée qui est devenue la solution. Il lui a dit : « As-tu pensé à changer de service ? » Ce fut le déclic. Elle postula pour travailler à la pouponnière. Quel bonheur elle a eu de s'y retrouver et de joindre deux choses qu'elle aimait au fond d'elle-même !

Et vous, dans quel type d'emploi seriez-vous heureux réellement si ce n'est déjà le cas ? Je ne veux aucunement vous dire de laisser votre emploi demain matin ; cependant, je veux vous sensibiliser à l'importance d'être en accord avec vos désirs profonds et valoriser l'utilisation de vos talents uniques.

Le meilleur moyen de progresser dans une entreprise est d'aider votre supérieur à obtenir une promotion.

## Comment répondez-vous au stress lié au travail ?

Nous avons tout ce qu'il faut de nos jours pour gagner du temps (téléavertisseur, boîte vocale, téléphone portable, Internet) et nous sommes à court de temps plus que jamais. Que se passe-t-il ? Il y a toujours quelque chose à faire ou à penser, tout va vite. Nous nous mettons énormément de pression et nous pensons que cela vient de l'extérieur. Un petit ajustement s'impose. On se souvient que le stress que l'on vit est le résultat de nos attitudes face aux événements et aux gens. Alors, inutile de blâmer les autres pour nos inconforts. Nous avons notre part de responsabilité, qui est de revoir nos façons de faire et surtout nos choix . Il nous faut alléger notre quotidien par l'humour et le rire, c'est évident, et changer de voie au lieu d'accuser les autres et les situations. Il est aussi essentiel de se demander ce que cette expérience m'apprend sur moi (mes réactions, mes choix, etc.).

Un jour, une vieille dame entra à la banque avec un sac d'argent contenant 165 000 $. Le directeur osa lui demander comment elle avait accumulé une telle somme somme. Elle lui répondit que c'était en faisant des paris. « Quel genre de paris ? », demanda l'homme.

— Des paris dans le genre : je vous gage 25 000 $ que vos bijoux de famille sont carrés. »

Le directeur se mit à rire en lui disant que ce genre de gageure était impossible à gagner. Elle lui suggéra de relever ce pari, ce qu'il accepta, étant sûr de le gagner. Elle lui dit qu'étant donné l'importante somme en jeu, elle reviendrait le lendemain à 10 h avec son avocat. Le directeur passa la soirée à s'observer. Le lendemain matin, la dame demanda à vérifier et le directeur se déshabilla. Ce faisant, il vit que l'avocat se frappait la tête sur le mur et il demanda pourquoi. La dame répondit : « C'est probablement parce que j'ai parié 100 000 $ avec lui que je ferais baisser ses pantalons au directeur de la plus grosse banque du pays. »

# Chapitre 10

# Le rire en milieu de travail

## Oser se taquiner

Je me souviens d'un milieu de travail où j'ai œuvré et qui nous permettait de rire et de nous taquiner tous les jours. On se jouait aussi des tours. Je me rappelle un coup pendable fait au directeur de cet établissement. J'avais pris un ruban adhésif replié, mais avec le côté collant vers l'extérieur, que j'avais ensuite mis sur le récepteur du téléphone, là où on appuie l'oreille. J'avais ensuite laissé le combiné accroché, bien entendu. Quelques minutes après son retour des toilettes, notre cher monsieur répondit au téléphone. Il se mit à lever le ton de plus en plus. « Pouvez-vous parler plus fort, ma chère dame, on a un problème avec la ligne téléphonique ! Pouvez-vous parler encore plus fort, s'il vous plaît ? » Et le ton continua de monter jusqu'au moment où la secrétaire riait tellement qu'elle se sauva vers les toilettes en croisant les jambes. Voyant la scène, le pauvre homme eut l'idée d'éloigner le récepteur, ce qui fut encore plus drôle : ses cheveux étant très frisés, nous avons vu la frisette se dérouler au même rythme qu'il éloignait l'appareil de son oreille. Il a ensuite expliqué la situation à la dame et tous ont bien ri, y compris l'interlocutrice impliquée à son insu. Quand on fait ce genre de tour, on n'imagine pas parfois toutes les tournures que cela peut prendre. Le but était de coller ses frisettes et non de lui faire monter la voix, mais il était trop tard, l'effet de surprise s'en est mêlé.

Vous vous dites peut-être que je ne suis pas gênée de faire des choses comme celle-là à mon directeur et vous avez raison de soulever ce point. Je suis quelqu'un qui ne valorise aucunement la hiérarchie dominatrice en milieu de travail. Je sais qu'il doit y en avoir une pour bien des raisons, mais, à mon avis, le meilleur patron est celui qui se considère et qui considère ses employés comme des êtres humains à part entière et qui, par son attitude aimante, peut atteindre des résultats exceptionnels sur les plans tant humain que professionnel.

Les démons de l'enfer proposent aux anges de jouer une partie de hockey. « Nous, on veut bien, disent les anges. Mais vous savez pourtant que tous les bons joueurs sont de notre côté.

— Possible, réplique un démon, mais vous savez où sont les arbitres. »

Ce qui m'amène à vous dire que je travaillais dans ce type d'entreprise et c'était la promesse que je m'étais faite durant mes études. Je me disais que, lorsque j'entrerais sur le marché du travail, je pourrais avoir un horaire flexible, qu'il n'y aurait pas de patron dans le sens traditionnel du terme, mais plutôt une personne très humaine et agissant plutôt comme un coordonnateur, que ce serait dans un milieu où je pourrais rire et m'amuser, et je l'ai eu. Voilà ce qui explique cette aisance, et le directeur était aussi un grand ami.

Je sais la tâche énorme que les patrons ont à assumer, je l'ai déjà vécu et je les comprends. La meilleure façon pour un gestionnaire de rallier son équipe est de passer par le plaisir, l'encouragement, la communication et la saine gestion positive de lui-même et du bien-être intérieur de son capital humain. Alors, voilà comment on peut en arriver à avoir le type de complicité dont je vous parlais.

Toujours dans l'optique de la taquinerie amicale, quelqu'un m'a déjà raconté avoir caché les vêtements d'un participant à une pièce de théâtre pour qu'à la fin du spectacle il soit obligé de retourner chez lui dans son costume. Il faut préciser que sa tenue de scène était plutôt de mauvais goût et que tous les autres vêtements avaient été cachés. Il a donc dû prendre les transports en commun costumé ainsi.

Vous avez sûrement plus d'un tour dans votre sac, vous aussi. C'est peut-être juste qu'il y a un peu de poussière à enlever sur le sac. Vous vous devez de bien choisir les gens que vous taquinez et le type de tour utilisé afin de ne froisser personne, car ce ne serait plus drôle.

Vous pouvez faire des semaines tendresse. Par exemple, vous pigez le nom d'un employé et, pendant toute la semaine, vous êtes son ange mystère. Vous lui laissez une petite attention spéciale scellée à la réception pour qu'on la lui remette. Vous lui faites livrer une rose à la maison ou au bureau, vous lui écrivez un petit mot gentil glissé sous sa porte de bureau, vous lui postez une petite boîte de chocolats, etc. À la fin de la semaine ou lors d'un souper entre employés le vendredi soir, on tente de découvrir l'ange mystère. Ce qui est agréable, c'est que tous participent et cela amène le cœur de chacun à faire une petite douceur à un collègue. Je connais des gens qui ont vécu cette activité et ils en frissonnent encore… de bonheur.

Voici quelques conseils destinés aux jeunes cadres ambitieux et qui veulent réussir.

1. Ayez toujours l'air pressé. Courez dans les couloirs, même si vous allez vous promener. Vous serez classé parmi les gens dynamiques, ce qui constitue une étiquette des plus estimées. Réapprenez au plus vite tout ce que votre mère vous a défendu pendant votre

*Anecdote embarrassante*
Un jour, la secrétaire d'un gynécologue donna rendez-vous à une cliente à la dernière minute. Elle se dépêcha pour arriver à temps, mais sans oublier une petite touche à l'hygiène personnelle. Elle mouilla une débarbouillette près du lavabo et lava l'endroit pour le rendre présentable. Elle jeta ensuite la débarbouillette dans le panier à linge sale. Lors de l'examen, le spécialiste lui dit : « Mais, madame a un petit extra ! » Elle ne répondit pas. Quand elle rentra à la maison, sa fille de six ans lui demanda si elle avait vu sa débarbouillette. La mère lui dit d'en prendre une propre dans l'armoire. La petite répondit : « J'ai besoin de celle qui était sur le bord du lavabo, j'avais mis tous mes brillants dedans ce matin. »

enfance : claquez les portes, raccrochez violemment le téléphone, emportez-vous le plus possible quand il est nécessaire de paraître en colère. Ne vous déplacez jamais sans un porte-documents bien rempli, c'est essentiel. Au besoin, bourrez-le de vieux journaux.

2. Comme il est bien vu à votre âge d'avoir des idées originales, ayez-en quelques-unes. Mais attention que ce soit bien les mêmes que celles de vos supérieurs, sans quoi vous passeriez pour un dangereux idéaliste.

3. Ne quittez jamais le bureau à l'heure de la sortie. Vous devez partir au moins une demi-heure après et faire en sorte que votre départ coïncide avec celui du patron, sinon à quoi cela servirait-il ?

4. Il est utile de jeter au hasard des discussions : « Cette nuit, j'ai pensé à la standardisation des bons de commandes. » Naturellement, c'est faux, mais qui peut le vérifier ?

5. Parsemez votre conversation de locutions techniques, quelles qu'elles soient, même si elles n'ont aucun rapport avec le sujet. L'important, c'est que personne ne comprenne. Les termes abstraits forcent le respect et paraissent bien.

6. Et si, au bout d'un certain temps, cette politique ne vous a pas fait progresser, c'est que vous avez affaire à des patrons intelligents. Alors, changez d'entreprise et recommencez.

Juste pour rire, voici quelques définitions caricaturées sur les sous-entendus des offres d'emplois.

- « Joignez-vous à une entreprise dynamique, en pleine expansion. » Est-ce que cela signifie qu'on n'aura pas le temps de te donner de formation et qu'il va falloir que tu te débrouilles tout seul et vite ?

- « Le candidat doit être capable de respecter les échéances. » Est-ce que cela signifie que cela fait longtemps qu'on aurait dû engager quelqu'un, mais qu'on était trop débordé ? Tu vas être six mois en retard dans ton travail en arrivant.

- « Tâches variées. » Est-ce que cela veut dire qu'on cherche un bouche-trou, que n'importe qui dans le bureau peut te donner des ordres et te dire quoi faire ?

- « Doit être minutieux. »
  Est-ce que cela signifie : « Nous n'avons aucun contrôle de qualité mais, si on a un problème, ce sera ta faute » ?

- « Envoyez votre CV. Aucun appel ou visite, SVP. »
  Est-ce que cela signifie qu'on a déjà comblé le poste avec un parent ou un ami du patron, qu'on fait une offre d'emploi juste pour faire semblant que n'importe qui aurait pu être engagé, ou qu'on ne veut pas avoir de problèmes avec l'inspecteur du travail ou le syndicat ?

- « Nous recherchons un candidat avec une expérience variée. »
  Est-ce que cela veut dire que tu vas remplacer trois personnes ?

- « Aptitudes à diriger requises. »
  Est-ce que cela veut dire que tu auras les responsabilités d'un directeur, avec la paie et la reconnaissance d'un stagiaire ?

## Caricature d'un milieu de travail difficile

- Si j'ai les mains pleines de papiers, de boîtes ou de fournitures, ne m'ouvrez pas la porte. Je dois apprendre à fonctionner sans les mains, au cas où je deviendrais paraplégique.

- Lorsque vous partez, n'avisez personne et ne me dites jamais où vous allez ; ceci me donne la chance d'être créatif lorsqu'on me demande où vous êtes.

- Si le travail à faire est urgent, courez dans mon bureau toutes les dix minutes pour m'interrompre et me demander comment cela avance. Ceci m'aide beaucoup. Ou, mieux encore, restez debout derrière moi à regarder ce que je fais et n'hésitez pas à me donner des conseils sur la façon de procéder.

- Si vous me donnez plusieurs choses à faire, vous n'avez pas besoin de me dire laquelle est prioritaire. Je fais de la télépathie.

- Ne me donnez jamais de travail le matin ; attendez 16 h et apportez-le-moi seulement à ce moment-là. La pression d'une échéance serrée est rafraîchissante pour moi.

- Faites de votre mieux pour que je sois obligé de travailler tard le soir. J'adore mon bureau et je n'ai vraiment rien d'autre à faire et nul autre endroit où aller. Je n'ai rien ni personne dans ma vie en dehors de mon travail.

- Si je fais du bon travail et que vous êtes satisfait, surtout gardez cela secret. Si cela se savait, je pourrais avoir une promotion et je ne pourrais pas supporter de travailler pour quelqu'un d'autre que vous.

- Si je fais une erreur ou quelque chose que vous n'aimez pas, dites-le à tout le monde. J'aime être le sujet de conversation. Le fait de me faire parler de mon erreur par tout le monde m'aide à m'améliorer.

- Si un travail nécessite des instructions particulières, ne me les écrivez pas. En fait, attendez jusqu'à la toute dernière minute pour me les donner. Il ne faudrait surtout pas m'emmêler ou me retarder avec des informations utiles.

- Ne me présentez pas aux gens qui sont avec vous. Je n'ai aucun droit de savoir quoi que ce soit. Plus tard, lorsque vous me parlerez d'eux, je saurai immédiatement de qui vous parlerez grâce à mon incroyable capacité de déduction.

- Ne soyez gentil avec moi que lorsque le travail que je fais pourrait vraiment changer votre vie professionnelle et vous envoyer en enfer en cas de pépins.

- Racontez-moi tous vos petits problèmes. Personne d'autre n'en a, c'est agréable de voir quelqu'un qui a moins de chance que moi. J'aime particulièrement lorsque vous vous plaignez de payez trop d'impôts à cause de votre salaire élevé, lorsque vous me parlez de vos dilemmes de placements pour votre dernier bonus, ou quand vous vous plaignez d'avoir eu trois jours de pluie lors de votre dernier mois de vacances dans le Sud.

- Attendez mon évaluation annuelle pour me dire ce que mes objectifs auraient dû être, mieux peut-être, attendez d'avoir quelque chose à me reprocher pour le faire. Donnez-moi une note médiocre pour ma performance et augmentez mon salaire légèrement, à peine pour couvrir l'augmentation du coût de la vie. Je ne suis pas ici pour l'argent de toute façon...

Une station de métro, c'est un endroit où le métro s'arrête.
Une station de bus, c'est un endroit où le bus s'arrête.
Devant moi, j'ai une station de travail...

## Savez-vous dire non?

Voici quelques suggestions pour arriver à dire non à quelqu'un.

- Avec un beau sourire, demandez à la personne si cela peut attendre ou sortez votre agenda devant elle pour planifier un meilleur moment.

- Question de stratégie, ouvrez votre agenda, jetez-y un coup d'œil avant de dire : « Je suis désolé, mais nous devrons nous reprendre. » Cela fait encore plus crédible.

- Apprenez à dire : « Je comprends la situation, mais... »

- Demandez à la personne de vous expliquer pourquoi c'est urgent.

- Allez jaser avec elle durant la pause ou à la fin de sa journée de travail ; si c'est vraiment urgent, vous le saurez.

    Soyez de nature plus comique lorsque vos neurones sont hyperactifs.

- Installez, à l'entrée de votre bureau, un écriteau sur lequel on peut lire, par exemple : « génie en action », « neurones agités » ou toute

Si vous n'avez rien à faire, prière de ne pas le faire ici.

autre phrase loufoque suivie de : « SVP, revenez plus tard. Mon cerveau vous remercie de votre compréhension. »

- Permettez-vous de fermer votre porte à des moments précis ou encore placez un écriteau du genre : « SVP, vous repasserez, ma femme est ici et… »

Un esprit, c'est comme un parachute : il fonctionne mieux quand il est ouvert.

- Restez debout quand vous êtes au téléphone. Vous serez plus actif, vous pourrez vous étirer, faire des grimaces ou des salutations de la main aux gens qui passent.

- Lors de la signature d'un contrat en vue d'une conférence dans une compagnie, un responsable me disait que, sur son bureau, il garde toujours une petite balle spongieuse, appelée balle anti-stress, et sur laquelle il y a un soleil sourire. Il me dit que la plupart des gens qui entrent dans son bureau sont attirés par cet objet et en retirent un plaisir certain.

- Évitez de vous énerver devant les machines. Supposons que l'écran de votre ordinateur gèle pour la troisième fois en une heure. Vous « engueulez » votre écran, puis les informaticiens et toute la terre tant qu'à y être. Est-ce que le fait de hurler va faire redémarrer votre ordinateur ? Imaginez que vous êtes spectateur d'un tel comportement. Comique, n'est-ce pas ? Prenez plutôt de bonnes respirations et imaginez que le stress descend dans le sol ou allez vous mettre les mains sous l'eau dans la salle de bain pour décharger votre surplus d'énergie de désordre. Sortez votre nez de clown et allez faire un tour dans le corridor en l'offrant à ceux qui se sentent stressés ou encore levez-vous, faites le tour de votre chaise en sautillant et en n'ayant aucunement peur de faire rire de vous.

*Fiche conseil pour les paresseux*

1. Aimez le travail bien fait. C'est pourquoi vous devez le laisser faire par des collègues plus qualifiés.

2. Le repos est sécuritaire. La preuve, c'est qu'il y a beaucoup plus d'accidents de travail que d'accidents de repos.

3. Apportez votre réveille-matin au travail et prêtez-le à vos collègues paresseux. N'oubliez pas les piles de rechange.

4. Travaillez juste le temps de vous fatiguer un petit peu et reposez-vous ensuite.

5. Le travail est considéré comme une belle chose, alors ne soyez pas égoïste, laissez-le aux autres.

6. Lors de votre période de sommeil au travail, mettez un écriteau sur votre bureau qui dit: « Laissez-moi tranquille, je pense ! »

*Soyez poli, SVP*

Ayez la gentillesse de me parler avec douceur, sans élever le ton et sans me contrarier d'aucune façon. Chez les gens de mon âge, le bruit et la contradiction provoquent des effets secondaires redoutables pour les gens de l'entourage. Je me prends soudain pour un singe et je cherche à grimper. N'ayant pas d'arbre, c'est sur vous que je saute. Il m'arrive parfois aussi de me rouler par terre et de vous entraîner avec moi. Je préférais vous prévenir.

*Politique d'utilisation des toilettes*
À tous les employés

À compter du 1ᵉʳ du mois prochain, une nouvelle politique d'utilisation des toilettes entrera en vigueur, et ce, afin de pouvoir calculer de façon méthodique le temps d'utilisation par chacun de vous et d'accorder à tous un traitement égal.

Avec cette nouvelle application, une banque de déplacements aux toilettes sera établie pour chaque employé. Le premier jour de chaque mois, un crédit de 42 déplacements sera alloué à chacun.

D'ici deux semaines, chaque porte de toilette sera équipée d'un système d'identification personnalisée et votre voix y sera informatisée. Chaque employé devra donc faire parvenir deux enregistrements de sa voix à la direction, un normal et un à l'effort. Pour le mois d'octobre, le nouveau système sera optionnel et sans pénalité afin de vous y entraîner.

Si votre banque de déplacements tombe à zéro, la porte demeurera verrouillée pour vous le reste du mois. En plus, chaque toilette sera équipée d'un distributeur de papier hygiénique rétractable et d'une minuterie. Si vous occupez la toilette plus de trois minutes, une alarme sonnera. Vingt secondes après la sonnerie, le papier rentrera dans le mur, la chasse s'actionnera d'elle-même et la porte s'ouvrira. Si vous continuez quand même d'occuper la toilette, une photo sera prise automatiquement. Elle sera affichée sur le babillard de chaque étage de l'édifice. Au bout de cinq fois, il y aura congédiement.

## D'autres idées pour stimuler votre imaginaire humoristique

• Ayez des tasses originales et humoristiques pour prendre votre café. J'en ai personnellement quelques-unes dont je me sers pour boire de l'eau quand je suis sur scène plutôt que d'utiliser un verre ordinaire. Elles font référence à des personnages de dessins animés.

Il y en a une, entre autres, dont le personnage a un très long nez qui dépasse d'environ 15 cm . Alors, imaginez la scène quand les gens me voient boire avec cela. À tous coups, cela déclenche une réaction.

- Par mesure d'économie et de souci environnemental, s'il vous plaît, utilisez les deux côtés du papier hygiénique.

- Mieux vaut aller aux toilettes au travail, ainsi on ménage le papier hygiénique à la maison et en plus on est payé pour y aller.

- Faites un pacte avec vos collègues de travail pour les aider à «lâcher leur fou» ou, encore mieux, suggérez-leur de lire ce livre, vous aurez plus de plaisir à vous défouler ensemble.

- Dessinez votre patron et chacun de vos collègues à tour de rôle et faites une exposition de dessins dans la salle de repos.

- Jouez avec les mots. Il y a quelques années, un ami, qui faisait des spectacles folkloriques à caractère humoristique et interactif, présenta un spectacle pour la compagnie de pneus CTR. Un homme dans la salle lui lança quelques mots avec un accent particulier. Avec sa spontanéité et sa vivacité d'esprit, mon ami lui répondit du tac au tac : «Tu as quelque chose de spécial, toi. Ah, je sais! C'est tes r que tu roules.» Et il a bien prononcé CTR. Ce fut l'ovation instantanée. Les mots vous offrent mille et une possibilités de jouer et de rire.

- Gardez des ballons ou des balles dans la salle de repos et lancez-vous-les. Plus il y en a, plus c'est drôle et efficace. Pourquoi est-ce efficace? Parce que quand vous suivez le trajet de la balle, vous arrêtez de penser et vous permettez à votre cerveau de se détendre et à vos endorphines d'être sécrétées, ce qui vous permet vraiment une pause santé.

«Voulez-vous acheter une de nos calculatrices de poche, monsieur?
— Non, merci, je sais combien j'ai de poches.»

*Mot d'enfant*
Le père d'un petit garçon lui raconte que les choses se contractent au froid et se dilatent à la chaleur. « C'est pour ça, papa, que les jours sont plus courts en hiver et plus longs en été ! »

- Racontez des blagues, écrivez-les quand vous en entendez et montez-vous un répertoire comique. Évitez toutefois de faire vos recherches pendant les heures de bureau. Quelle bonne détente !

- Démarquez-vous de la concurrence en racontant des blagues de bon goût à vos clients. Si cela ne garantit pas des ventes la journée même, il y a fort à parier que le nom de votre entreprise restera gravé dans leur mémoire.

- Le rire est un gage de meilleure santé, mais il est aussi un gage de succès. Une étude américaine indiquait, il y a quelques années, que les administrateurs qui avaient de l'humour réussissaient passablement mieux que les autres et étaient plus souvent choisis pour diriger des entreprises.

- L'hebdomadaire allemand *WirtschaftsWoche* a dévoilé ceci : « En affaires aussi, le rire fait des miracles. Il stimule la carrière, les bénéfices de l'entreprise et surtout, la créativité. Comme il nous maintient en bonne santé, le nombre de congés maladie diminue, la productivité augmente et notre ascension s'accélère », écrit le journaliste avant de citer Daniel Goleman, professeur à Harvard : « Le rire et l'enthousiasme nous permettent d'aller plus loin dans nos pensées, de comprendre des choses plus complexes et d'être plus libres dans nos associations d'idées. » Ainsi, Linus Torvald, inventeur du logiciel libre Linux, pense très sérieusement qu'il faut avant tout une bonne dose de plaisir et de rires pour être un bon programmeur. Le rebelle de l'informatique n'est pas le seul à avoir découvert l'arme fatale. Selon le *WirtschaftsWoche*, le succès de la compagnie aérienne américaine Southwest Airlines s'explique essentiellement par une méthode de recrutement très spéciale. Au cours de l'entretien, les candidats sont systématiquement interrogés sur leur sens de l'humour et priés d'expliquer quelle importance ils accordent au rire dans leur travail. Pisse-froid et rabat-joie s'abstenir, cette compagnie accorde plus d'importance au sens de l'humour de ses employés qu'au confort à bord de ses avions. Résultat : depuis 30 ans, année après année, elle engrange des bénéfices. « Certains hommes politiques envisagent sérieusement le rire comme une solution pour sauver notre système de santé », poursuit le magazine, qui propose de créer des clubs du rire sur le modèle de ces 1 300 centres imaginés par l'Indien Madan Kataria qui fleurissent à travers le monde. « Et plus ça va mal, plus il faut rire », conclut l'auteur de l'article.

On passe une grande partie de sa vie au travail en oubliant de prendre soin de son mieux-être physique et mental. Un peu d'humour au quotidien, et plus particulièrement au travail, est une clef importante pour rester en santé.

Un environnement où les gens font place à un humour sain encourage l'esprit d'équipe, l'initiative et la créativité. Au travail, l'humour doit être stimulant, positif et respectueux. Des histoires personnelles amusantes ou un trait d'humour bien placé produiront un meilleur effet qu'une farce malveillante.

À quand remonte la dernière fois où vous avez beaucoup ri au travail ? Était-ce au cours d'une certaine réunion où un commentaire inattendu a contribué à détendre l'atmosphère ? Ou lorsqu'un collègue s'est arrêté à la porte de votre bureau le temps de vous raconter sa dernière gaffe ? Si votre chat a la mauvaise manie de sauter sur les gens par surprise, pourquoi ne pas raconter ses péripéties ?

Les organisations où on encourage le rire sont généralement des environnements heureux et productifs. Mais, comme en toute chose, le juste milieu est important. Au travail, la priorité est d'effectuer sa tâche en respectant les politiques corporatives, ce qui ne signifie pas pour autant que la gaieté n'y a pas sa place.

## Rire et s'amuser, un travail d'équipe

- Apportez votre collection humoristique, par exemple des bandes dessinées, des articles drôles, des anecdotes amusantes, n'importe quoi qui vous porte à rire. Lorsque quelqu'un aura une mauvaise journée ou qu'il sera stressé, refilez-lui ce répertoire pour qu'il retrouve le goût de sourire.

- Créez un club de bonne humeur au travail. Vous pourriez visionner des films de Charlie Chaplin ou des dessins animés à la cafétéria, monter une collection de livres amusants que les employés pourraient emprunter ou encore organiser un concours de conteurs de blagues ou d'anecdotes à l'heure du dîner.

- Récompensez l'employé du mois, c'est-à-dire celui qui aura mis le plus de joie et de rire dans le quotidien de l'équipe.

- Les gens sont plus efficaces quand le sentiment d'appartenance, le plaisir et la motivation façonnent leur quotidien. À l'opposé, l'anxiété engendrée par la compétitivité fait obstacle aux performances et au bien-être général de l'individu.

- Si chaque employé sent qu'il a quelque chose de bien à apporter à l'entreprise et à ses collègues, il contribuera au fondement d'une équipe solide et au succès de l'entreprise.

## Préservez votre santé

Selon un article paru dans le magazine québécois *Recto-Verso* de mai-juin 2003, publié par le Fonds de solidarité du Québec, « Chaque semaine, 500 000 Canadiens restent à la maison parce qu'ils sont à bout [...] six millions de journées de travail sont perdues, soit plus de 6,5 milliards de dollars [...] En 1991, les problèmes de santé mentale représentaient 15 % de tous les cas d'invalidité de longue durée [...] en 2001, nous en sommes à 40 %. Le nombre de cas a augmenté de 167 %. »

Dans les milieux de travail, la question du bien-être est essentielle. Alors que des expressions telles que « maladie reliée au stress » et « épuisement professionnel » deviennent de plus en plus familières, les organismes cherchent de nouvelles façons de maintenir une main-d'œuvre heureuse, équilibrée et productive.

Jusqu'ici, nombre d'entreprises ont dénigré l'idée du rire au travail, estimant que cette distraction nous empêche d'accomplir notre « vrai » travail. La plupart d'entre nous ont grandi avec une éthique du travail qui renforce également cette attitude : « Travailler dur pour réussir », « Le travail n'est pas censé être agréable », « Il faut souffrir pour récolter le fruit de ses efforts ».

Mais nous commençons à réaliser que toute cette souffrance est en train de nous tuer à petit feu. Nous découvrons que cette attitude est en fait improductive et qu'elle nuit aux résultats tant recherchés dans cette ère de changement technologique, de compressions budgétaires et de réduction du personnel.

Un jour, un client sort du restaurant et voit un policier rédiger une contravention. Il s'approche et lui dit : « Je ne suis resté que cinq minutes chez le boulanger. Vous ne pourriez pas annuler cette contravention, espèce d'abruti ? » Le policier continue à écrire. « Espèce d'emmerdeur », continue le client. L'agent rédige une deuxième contravention pour insulte à un agent de la paix. Le client l'engueule généreusement : « Sous-produit de débile, impuissant, hémorroïdes hypertrophiées… » Cette scène continue pendant un quart d'heure et le policier, sans sourciller, accumule les contraventions sous l'essuie-glace. Le client dit alors au policier : « Je considère que cela ne nous mène à rien et je jette la serviette. » Après le départ de l'agent, l'homme marche tranquillement jusqu'à son véhicule garé deux rues plus loin, laissant le plaisir à son patron de découvrir sa voiture en sortant du restaurant.

La santé mentale est un état d'équilibre psychique et émotionnel qui nous permet de nous sentir bien avec nous-mêmes et les autres et aptes à faire face harmonieusement aux exigences de la vie. Cet équilibre s'établit en considérant notamment les plans mental, physique, spirituel, familial et professionnel. Arrêtons la machine du stress et enclenchons celle du rire.

## Protégez votre équilibre

- Accordez-vous chaque jour un temps de pause pour aller bouger, respirer et vous changer les idées.

- Est-ce que vous, votre conjoint et votre famille êtes la priorité numéro un de votre vie ? Avez-vous le temps de voir grandir vos enfants ?

- Quelles sont vos façons de vous ressourcer, vos lieux préférés pour le faire ?

- Votre travail vous apporte-t-il une satisfaction proportionnelle à la quantité d'énergie que vous y investissez ?

## L'humour au travail, c'est sérieux

Les pressions augmentent, le manque de reconnaissance mine l'enthousiasme, les conditions de travail se sont dégradées, il faut faire plus de choses en moins de temps : que faire ?

Voici quelques trucs.

- Commencer d'abord par être bien avec soi. Comment être tolérant avec les autres si on a de la difficulté à se gérer soi-même intérieurement ?

- Avoir de la joie au quotidien pour obtenir un bon équilibre émotionnel.

- Accepter le changement au lieu de lutter et de vouloir tout contrôler. Plus on lâche prise, plus les choses s'arrangent.

*Des étiquettes surprenantes*

- Sur l'emballage d'un bonnet de douche dans un hôtel : « Bon pour une tête seulement. »

- Sur un briquet au butane : « La flamme peut causer un incendie. »

- Sur des repas congelés : « Suggestion : décongeler avant de servir. »

- Sur le dépliant d'instructions d'un séchoir à cheveux : « Ne pas utiliser sous la douche. »

- Sur un sac de croustilles : « Vous pourriez être gagnant. Aucun achat requis. Détails à l'intérieur. »

- Sur le dépliant d'instructions d'un fer à repasser : « Ne pas repasser les vêtements sur le corps. »

- Sur le dépliant d'instructions d'une scie mécanique : « Ne pas tenter d'arrêter la chaîne avec les mains. »

- Se demander si aujourd'hui on a eu de la joie, si on a bien ri, si on a appris quelque chose de nouveau, si on a bougé suffisamment, si sa créativité a pu s'exprimer. Ce sont des clefs de l'harmonie intérieure et extérieure.

- Favoriser la prise de décision partagée.

- Rechercher un travail qui permet de maximiser l'utilisation de ses habilités les plus marquées, car le plaisir s'en trouvera multiplié.

- Se mettre dans la peau de l'autre. Par exemple, un patron qui a essayé à tour de rôle tous les postes de la chaîne de montage pourra beaucoup mieux comprendre le vécu de son équipe. Avoir de la compassion envers les autres et favoriser l'entraide entre collègues ; former un comité de soutien.

- Éviter la compétition et stimuler la collaboration. La compétition peut s'avérer saine dans certains milieux, mais c'est à évaluer.

- Gratifier les bons coups, souligner les réalisations particulières.

- Avoir de la reconnaissance à l'égard du personnel : celle-ci ne passe pas nécessairement par le salaire, mais beaucoup par la valeur ajoutée sur le plan humain. Vous contribuerez à diminuer la maladie si l'estime de soi, le respect et le plaisir sont au rendez-vous.

- Offrir aux gens de la sensibilisation en santé mentale.

- Présenter des programmes de formation dynamisants et basés sur l'humain plutôt que sur la technique.

- Avoir une attitude positive. Notre perception d'une situation fera toute la différence entre une sensation agréable et un stress agressant.

- Offrir aux employés des outils de gestion portant sur la confiance en soi, la gestion du stress, la pensée positive, la façon de se fixer des buts et de les atteindre, le sentiment d'appartenance, le rire et le plaisir, et la productivité augmentera. Je suis convaincue que l'entreprise d'aujourd'hui et de demain devra utiliser de plus en plus ces ressources pour bien se tirer d'affaire.

- Rire de soi et de notre situation : cela nous aide à relâcher la tension, à rétablir notre perspective de la vie et à accepter ce que nous ne pouvons pas changer. De plus, comme on l'a déjà mentionné, cela nous donne également l'énergie physique et la résistance nécessaires pour mieux vivre les transitions.

- Valoriser l'emploi que vous exercez actuellement, car c'est ainsi que vous magnétiserez mieux. Voyez ce que cet emploi vous a permis d'apprendre sur vous et remerciez-le pour cet apport dans votre vie. En changeant votre attitude, vous serez intuitivement dirigé vers quelque chose d'adapté à vos désirs. Rien ne sert de dénigrer ce milieu s'il ne vous convient plus, car personne ne nous impose nos choix. Et quand on sait que ce à quoi on résiste persiste et que ce à quoi on fait face s'efface.

- Se dire « Qu'est-ce que je peux donner ? » plutôt que « Qu'est-ce que je peux soutirer ? ». Vous activerez ainsi un mouvement d'abondance générale. Je connais une personne qui a choisi la seconde option et sa vie va tout croche. Depuis qu'elle a essayé de mettre sur pied une entreprise, les dettes s'accumulent d'année en année et elle ne cherche qu'à écraser ceux qui l'aident pour se donner du crédit personnel. Cette personne le dit ouvertement : « Je ne suis pas chaude à tout ce qui ne vient pas de moi. » L'entourage sait que la faillite est proche. Alors, personne ne gagne quoi que ce soit à vouloir exploiter les autres. Soyons bons avec nous-mêmes et les autres ; ainsi, notre cœur, notre corps et les gens autour de nous s'en porteront beaucoup mieux. Les gens achètent l'humain avant le produit. La majorité des ventes sont faites parce que le client aime le vendeur.

Une serveuse demande à un client extrêmement stressé : « Voulez-vous votre pizza coupée en quatre ou en six morceaux ?
— En quatre, je n'ai pas assez faim pour six. »

## Le plaisir de bien servir la clientèle

- Quel est le petit extra que je peux faire comparativement à la compétition ? J'en fais personnellement ma philosophie. Quand je signe un contrat avec une compagnie, par exemple, j'ai une grande flexibilité en ce qui concerne l'horaire et même le tarif. Je fais tirer de petits cadeaux dans les salles et j'utilise de nombreux autres trucs pour ajouter un petit plus. J'aime activer ce partage, ce don de soi. Je me fais plaisir et je sais que cela fait plaisir, c'est merveilleux.

- Donnez à votre client l'impression qu'il en a eu plus pour son argent avec vous ; c'est dans les petites choses que cela peut se faire.

- Demandez-vous ce que vous pouvez faire de plus pour l'autre, pas seulement sur le plan matériel. Vous pouvez le voir heureux, souriant, en santé et prospère. Cette énergie devra passer par vous pour lui être envoyée, alors vous en bénéficierez par le fait même.

- Ayez un ton agréable au téléphone, mettez le sourire dans votre voix et vous ensoleillerez la personne au bout du fil.

- Devenez un messager de bonheur et de plaisir.

- Considérez mentalement chaque personne comme la plus importante au monde pendant que vous êtes en sa compagnie. Qui n'a pas besoin de se sentir considéré?

- Soyez courtois. Vous appelez quelqu'un qui semble affairé? Demandez-lui gentiment le meilleur moment pour le rappeler.

- Évitez de répondre catégoriquement et sans développer à une question d'un client. Évitez d'utiliser le mot « non ». Vous pouvez répondre plutôt : « Je ne sais pas, mais je vais m'informer avec plaisir, suivez-moi. » Quelle différence! Si c'est au téléphone, ayez la même courtoisie et dites à la personne que vous allez la rappeler.

- Évitez de faire sentir à la personne qu'elle est ridicule.

- Un second appel pendant que vous êtes en ligne? Prenez le temps d'être courtois et poli avec l'interlocuteur que vous allez mettre en attente. Au lieu de décrocher et de dire : « Un moment », vous pourriez dire : « C'est avec plaisir que je serai à vous dans 30 secondes. » La personne au bout du fil saura qu'elle a 30 secondes à attendre au lieu de se faire flanquer là.

- Quand vous servez un client, regardez-le avec les yeux du cœur et voyez au-delà de ses yeux, dans son cœur. Le contact sera grandement différent dans le visible et l'invisible.

- Essayez de saisir toutes les occasions de faire plaisir au client (sourire, blague, mot gentil, etc.). Ayez cette question en tête : « Qu'est-ce que je peux ajouter de beau à sa journée? »

- Soyez attentif aux petites informations qu'il peut passer dans la discussion (sa date d'anniversaire, le nom de son épouse et de ses enfants, les sports qu'il aime) et, la prochaine fois, vous aurez des éléments personnalisés pour vous informer de lui ou l'accueillir.

C'est l'été ; il fait chaud, très chaud, trop chaud. Le bureau n'est pas climatisé et tout le monde sue à grosses gouttes, même avec les ventilateurs qui fonctionnent à pleine vitesse. Tout à coup, une odeur infecte se répand dans la pièce. Immédiatement, tout le monde se bouche le nez. Un des employés dit : « Beurk, il y a quelqu'un par ici dont le déodorant ne fait plus effet. » Et sur le pas de la porte, un gars répond : « Ça ne peut pas être moi, je n'en mets jamais. »

## Un truc extraordinaire pour créer un bon rapport avec les autres

Ce truc peut vous être utile avec tout individu. Il relève de la PNL. Créer un rapport vous permet d'établir une meilleure communication, de créer un climat de confiance et facilite grandement les contacts.

Compte tenu que notre physiologie influence 55 % de la communication, le fait d'harmoniser, par exemple, notre gestuelle et notre voix au rythme de l'autre crée un rapport inconscient fantastique.

L'individu percevra inconsciemment ce non-verbal et vous ferez disparaître les inconforts lors des rencontres. Il aura le sentiment d'avoir des affinités avec vous et aura même l'impression que vous lui ressemblez. Il se sentira important à vos yeux et, parce que vous pratiquerez cette approche, il aura raison. Si l'autre se sent bien en votre compagnie, il sera plus réceptif. En créant un rapport, vous vous ajustez à l'autre, vous devenez un peu comme son miroir.

## Exercice

## Le miroir

1. Mimez la physiologie

   C'est comme si vous mimiez discrètement la physiologie de la personne en face de vous : sa posture, ses mimiques faciales, ses gestes, etc. Par exemple, la personne a la jambe croisée, croisez subtilement la même qu'elle. Elle a les bras croisés, croisez les vôtres. Elle s'avance et se recule sur sa chaise, place ses mains sur ses cuisses, suivez le rythme un peu après elle ; soyez délicat et discret.

   Cet exercice n'a pas pour but de ridiculiser l'autre ou de se moquer de lui. Il constitue un outil de communication puissant pour vous rapprocher aisément des gens. On le fait déjà inconsciemment, en couple entre autres. La prochaine fois que vous irez au restaurant, observez les gens. S'il y en a un qui prend une gorgée de café ou de vin, l'autre le fait presque en même temps, les deux personnes ont les bras placés de la même façon, etc. On appelle cela être en rapport et c'est un signe très positif que l'énergie passe. Par contre, vous observerez des couples dont un conjoint lit le journal pendant que l'autre regarde longuement par la fenêtre. Tirez vos conclusions. Le corps parle beaucoup.

   Soyez assuré que, si vous êtes discret, l'autre personne ne s'apercevra de rien et se sentira très à l'aise en votre présence.

   Par la suite, si vous voulez savoir si vous dirigez bien le rapport, faites vous-même les mouvements. Si l'autre vous suit, vous savez que le jeu fonctionne.

2. Harmonisez votre voix à celle de l'autre (tonalité, rythme, volume)

   Si l'autre parle rapidement, ajustez votre débit au sien et ramenez progressivement le tout à un rythme plus agréable pour les deux. S'il parle lentement, faites la même chose à l'inverse. S'il utilise souvent un mot, par exemple « O.K. », « super ! », utilisez-le. Si la personne parle faiblement ou à haute voix, ajustez-vous et modulez par la suite.

   Utilisez les termes qui sont en lien avec son mode de communication. Si l'autre parle en disant souvent « Tu vois ? », emboîtez le pas.

232

Donnez-vous du temps pour vous familiariser avec cet exercice et, au fil des expériences, il va devenir tout à fait automatique. Il se fait très facilement au téléphone au début. Prenez le même ton que votre interlocuteur et observez ce qui se passe. Vous allez avoir beaucoup de plaisir et faire plaisir aux gens en les traitant aussi bien. Ce truc fait des merveilles en affaires!

## Les petites douceurs (douces heures) du jour

Comment fait-on pour voir les choses du bon côté? En ayant le sens de l'humour! Mais comment faire pour avoir le sens de l'humour? Tout d'abord, l'humour provoque des actes qui suscitent la surprise ou l'exagération comique d'une situation et il doit favoriser un sentiment de bien-être. Il peut s'appliquer en toute simplicité et n'a aucunement besoin de provoquer des rires aux éclats à tous coups. Un simple petit geste tendre et différent peut en être l'expression. Par exemple, déposer un biscuit sur le bureau d'un collègue, offrir un compliment inattendu, envoyer un courriel d'encouragement sont autant de petits gestes qui surprennent agréablement et brisent la routine. On m'a même dit que quelqu'un gardait un masque de singe au travail et que, lorsque la tension montait, il le mettait et se promenait avec quelques instants.

Dans les salles où je donne des conférences, j'apporte plein d'objets comiques pour inciter les gens à se servir de ces trucs. Par exemple, j'ai un parapluie en forme de canard, que je prends d'ailleurs pour aller faire des courses, il est irrésistible. J'ai aussi un orignal qui chante du rock and roll en jouant de la guitare, un poussin, qui chante également, etc. On a bien du plaisir à incorporer ces objets à la matière enseignée. Les gens se souviennent du message véhiculé par le jeu. Ce genre d'accessoires a quelque chose d'absurde qui nous permet de surmonter notre pensée rationnelle d'adultes et nous redonne l'envie de rire et de jouer. Un groupe qui s'amuse ensemble grandit ensemble!

## Comment traiter avec des collègues de travail sarcastiques

Ayez au départ une bonne estime de vous-même et évitez de «prendre ça personnel» quand des sottises sont dites par des collègues inconscients du mal qu'ils se font et qu'ils font aux autres. Ayez en tête votre pleine valeur en tant qu'individu et le fait que vous devez vous faire respecter. Ayez un bon sens de l'humour, même s'il est silencieux. Vous pouvez vous dire : « Ce sont ses hormones qui sont en crise », « Il a dû manger de la viande avariée » ou « Je plains son conjoint ».

Déguisez-le mentalement en personnage loufoque. Montez votre déguisement mental en équipe, ce sera encore plus drôle. Ainsi, lorsque vous aurez envie de vous choquer contre cette personne, c'est son grand chapeau à plumes qui vous viendra en tête. Un collègue pourra même vous y faire penser si vous l'avez imaginé en équipe.

Je vous encourage à ne pas mordre à l'hameçon. Si quelqu'un vous accable, le mieux est de ne pas répliquer de la même manière. Écrasez-le plutôt sous le poids de votre gentillesse sans pour autant dissimuler votre point de vue. Même si cela ne semble pas facile à faire et que cela demande un bon sang-froid, vous en serez récompensé tôt ou tard.

Le sarcasme constitue une tactique d'intimidation et votre rôle est d'indiquer que vous entendez maintenir des relations de travail positives. Vous affirmez votre opinion au lieu d'adopter une attitude agressive. Du même coup, vous mettez en pratique le principe de la non-violence et travaillez dans le but d'une résolution pacifique du conflit.

Évitez de juger ces personnes d'après leur comportement, sachant plutôt que, si elles essaient de vous blesser, c'est parce qu'elles souffrent. Dites-leur en toute vérité que ce qu'elles font vous affecte, respirez bien, restez calme et tentez de garder le sourire. Vous pouvez les taquiner en leur disant que si elles utilisaient toute cette énergie pour faire du bien autour d'elles ou pour faire sourire les gens, elles ne s'en porteraient que mieux. Essayez, vous verrez bien, c'est

Rendez quelqu'un heureux aujourd'hui : mêlez-vous de vos affaires.

peut-être un service à leur rendre que de leur faire prendre conscience de leur comportement.

Visualisez-les gentils avec vous et entretenez cette pensée ; vous serez surpris des changements positifs. Tout ce qui ne peut être facilement ajusté physiquement entre deux personnes peut être amélioré par le niveau intérieur et la visualisation.

Y a-t-il des circonstances où l'humour n'est pas approprié au travail ?

1. Votre contrat stipule que, chaque fois que vous riez, on vous enlève 10 $ sur votre chèque de paie.

2. Devez-vous continuer à rire si vous entendez votre patron dire : « S'il raconte une blague de plus, je démissionne. » ?

3. Votre travail consiste à nourrir les gorilles. C'est la saison des amours, et le zoologiste en chef vous informe que les plus gros mâles considèrent le rire comme un signe de flirt.

4. Dans certains cas, il faut faire preuve de plus de vigilance, par exemple lorsque quelqu'un vit un deuil ou qu'un proche a eu un accident.

5. Laissez parler votre intuition, elle vous conseillera quant au bon dosage.

Si une personne en situation d'autorité possède un bon sens de l'humour, elle fait tomber les résistances et les gens ont plus de facilité à se confier. Aurez-vous le goût de signaler un problème si vous savez que votre supérieur montre les dents facilement ? La douceur et l'écoute sont porteuses de solutions et d'avancement. Si vous êtes pour le sens de l'humour, montrez-le.

*Technique de relaxation humoristique*

- Fermez les yeux. Respirez autant d'air frais que vous le pouvez, dans votre bureau sans fenêtre, et expirez toutes les frustrations accumulées dans votre vie jusqu'à présent en les soufflant dans le dos de vos collègues de travail les plus près.

- Comme vous vous concentrez sur votre respiration, débarrassez-vous de toutes vos pensées. Celles qui sont vraiment les plus importantes vont rester pour vous hanter, croyez-moi.

- Sentez comme votre fauteuil vous soutient, sous vos fesses et dans votre dos. Laissez-vous supporter ainsi en vous demandant quelle est la dernière fois où vous avez ressenti autant d'affection.

- Prenez un moment pour vous dire bonjour en vous-même, en vous interpellant vous-même. Soyez bien attentif à une toute petite voix à l'intérieur de vous-même qui pourrait dire : « Qui es-tu ? »

- Conservez une attitude de considération positive inconditionnelle à votre égard.

- Continuez de respirer. (Des recherches ont démontré que les personnes qui respirent régulièrement se disent plus en vie que celles qui ne le font pas.)

*Pourquoi courir autant?*

De nos jours, nous avons des édifices plus élevés et des autoroutes plus larges, mais notre niveau de tolérance est plus bas et notre esprit est plus étroit.

- Nous dépensons davantage, mais nous nous amusons moins.
- Nous avons de plus grandes maisons, mais de plus petites familles.
- Nous avons plus de médicaments, mais moins de santé.
- Nous avons conquis l'espace intersidéral, mais pas notre espace intérieur.
- Nous avons des revenus plus élevés, mais un moral plus bas.
- Nous vivons à une époque où il y a plus de libertés, mais moins de joie.
- Nous avons davantage de nourriture, mais une moins bonne nutrition.

Et si à partir d'aujourd'hui...

- Nous pensions à ne rien garder pour une occasion spéciale, parce que chaque jour bien vécu est une occasion spéciale.
- Nous prenions le temps de regarder les fleurs et les oiseaux et de humer les parfums de la nature.
- Nous prenions plus de temps avec ceux que nous aimons, mangions mieux et visitions les endroits que nous aimons.
- Nous réalisions qu'il est possible de vivre dans une saine abondance générale (santé, amour, argent, amis, etc.).

Notre vie pourrait prendre une tout autre tournure.

La vie se doit de devenir une suite de moments de plaisir et non une survie. Tant qu'on est en survie, on est à côté du plaisir d'être en Sur-vie!

Choisissons un langage et des pensées harmonisés à nos désirs.

Apprenons à ralentir notre rythme pour prendre soin de nous.

Apprenons à nous aimer profondément au plus profond de nous.

Soyons à l'affût de tout ce qui peut ajouter de la joie et des rires à notre quotidien, et le soleil pourra irradier encore plus dans nos cœurs et tout ce qui nous entoure.

# Chapitre 11

# Rire
# en famille

## Une habitude à prendre

Le rire s'avère évidemment très important dans mon milieu familial. J'ai toujours mis cette valeur en évidence et elle a toujours été source d'émerveillement. On joue ensemble, on « lâche notre fou », on blague et cela fait du bien.

Apprenez à savourer votre bonheur. Plus vous appréciez quelque chose, plus il se multiplie. Plus on désire être ailleurs ou avoir mieux, plus on éclipse les trésors qui sont déjà présents dans nos vies (santé, amis, petits bonheurs quotidiens). Certes, on se doit d'avoir des buts, mais ils seront plus faciles à atteindre si on apprécie ce que l'on a d'abord et avant tout. Apprenez à avoir de la gratitude tous les jours pour tous les cadeaux que la vie vous fait. Vous êtes en vie, n'est-ce pas la plus belle de toutes les possibilités ?

Donnez l'exemple, les gens en ont besoin. La nécessité de rire est inscrite en nous. Pourquoi les gens vont-ils voir des humoristes ou louent-ils des vidéos comiques si ce n'est pour cette raison ? Je vous le répète, mon but est de vous amener à développer votre propre source de plaisir et de rire, et la famille offre, la plupart du temps, un bon terrain pour s'entraîner.

Avez-vous remarqué que plus vous êtes perturbé, fatigué, plus les enfants demandent de l'attention ? Ils veulent inconsciemment vous amener à vous défouler comme ils savent si bien le faire. Pour

Très « songé » : j'ai vu le jour dans la nuit du 18 janvier 1952.

eux, le jeu est un bon moyen de le faire. Les enfants sont de grands enseignants si on sait décoder leurs messages. Des jeux, nous pouvons en inventer si nous voulons vraiment nous y aventurer pour le plaisir.

Si vos parents ne se comportaient pas en enfants de temps en temps, il est possible que vous n'ayez pas appris à jouer spontanément, mais dites-vous bien qu'il est toujours temps d'avoir une enfance heureuse. Ils ont fait ce qu'ils pouvaient avec les ressources qu'ils avaient, tout comme vous aujourd'hui. Rien ne sert de juger, car on devient ce qu'on condamne.

Créez des moments de détente avec les enfants, des moments où il n'y aura rien au programme, où on ne pensera qu'à s'amuser et à être ensemble. Faites les tâches domestiques en valsant avec le balai sur des airs de samba ou de rock and roll. Préparez le repas du soir en pyjama ou simulez une activité sur la plage pendant laquelle tous seront en maillot de bain.

Mon fils m'aidait souvent à préparer le repas quand il était plus jeune. Il prenait un grand sac en papier brun et se le mettait sur la tête en guise de chapeau de cuisinier. Le rire était automatique.

Quant à ma fille, récemment, elle voulait aller s'acheter quelques vêtements. Sachant que j'étais très occupée, elle a demandé à son frère de l'accompagner; ils ont une merveilleuse complicité. Voyant un peu d'hésitation chez lui, elle lui a dit: « Si tu viens avec moi, je te promets que je vais te faire une tisane de camomille au retour. » Nous avons tellement ri parce que la tisane n'avait rien à voir dans toute cette histoire, c'était de la pure imagination à caractère comique pour signifier son désir de passer un peu de temps avec lui en magasinant. Au retour, la discussion loufoque sur la tisane de camomille a continué de mettre de la joie dans notre journée. À votre tour, ayez du plaisir!

Amusez-vous à vous raconter des anecdotes. Les enfants adorent qu'on leur raconte des faits cocasses qui nous sont arrivés. Vous pouvez même inviter les grands-parents à une soirée où vous leur demanderez de raconter des histoires amusantes qui leur sont arrivées.

Je vous donne un exemple, une chose qui m'est arrivée au début de mon adolescence. Je devais avoir environ douze ans et ma sœur,

Un petit garçon entre dans la cuisine en pleurant. Sa mère lui demande ce qui ne va pas. « C'est papa, il s'est donné un coup de marteau sur un doigt en posant un cadre au mur.

— Il n'y a pas de quoi pleurer pour ça, tu aurais dû rire.

— C'est ce que j'ai fait. »

six. Je suis l'aînée de trois filles dans ma famille. J'ai près de six ans de différence avec ma sœur Lola et dix avec Katia. Lola avait décidé de me jouer un tour dont je me souviens encore tellement ma pudeur d'adolescente en avait pris un coup. J'étais aux toilettes, confortablement assise sur la cuvette, quand tout à coup sa frimousse est sortie du panier à linge sale. Toute contente de son coup, elle fit : « Coucou ! » Si vous n'avez jamais vu quelqu'un se rhabiller vite et réagir, eh bien ! ce fut le cas. J'ai couru et j'ai ouvert la porte de la salle de bain en criant à ma mère ce qui venait d'arriver. Sur le coup, j'étais très fâchée, mais on en rit encore aujourd'hui. Vous avez sûrement aussi une foule d'anecdotes à raconter. Au fur et à mesure que les enfants grandissent, les occasions de rire en famille devraient se multiplier.

Deux garçons s'amusent ensemble quand tout à coup l'un d'eux revient à la maison la tête très enflée. Sa mère lui demande : « Mais qu'est-ce qui t'est arrivé ?

— Je me suis fait piquer par une guêpe.

— Mais pourquoi une si grosse enflure ?

— C'est que Jos l'a tuée avec un bâton de base-ball. »

## Quelques idées d'activités à faire avec de jeunes enfants

Nous nous servons trop souvent du jeu pour tenter d'occuper nos enfants alors que nous pourrions l'utiliser pour nous aider à nous occuper d'eux.

- Autant que possible, pensez à vous réserver une soirée à passer en famille de façon assez régulière. Vous pouvez préparer le repas du soir ensemble, faire des bonhommes sourire avec les légumes ou utiliser des tranches d'olives pour faire des yeux sur la lasagne. D'une façon ou d'une autre, soyez créatif.

- L'enfance est un moment magique et on se prive parfois d'en déguster toute la splendeur. Vous pouvez encourager vos enfants à se servir de leur imagination; profitez-en pour activer la vôtre. Quand j'étais petite, je faisais des colliers avec des nouilles ou avec des céréales en forme de O, des montages de cure-dents, etc. Quand ils étaient petits, mes deux enfants, Mireille et Denis, avaient un plaisir fou pendant les après-midi pluvieux, entre autres. Ils s'adonnaient à ce qu'ils appelaient des « expériences ». Ils faisaient l'inventaire de la nourriture sèche du garde-manger en vue de concevoir des potions magiques. Par exemple, ils mélangeaient du bicarbonate de sodium avec du vinaigre : la réaction les faisait rire à tous coups. Ils prenaient des grains de riz et essayaient de les dissoudre, mélangeaient de la mélasse avec de la poudre de cacao, du sel, de la farine, des nouilles pour observer les différences de texture, d'odeurs, etc. Ils s'amusaient pendant des heures à peu de frais.

- Vous pourriez monter une pièce de théâtre improvisée ou un théâtre de marionnettes.

- Faites des sports avec eux.

- Faites des jeux de contacts, chamaillez-vous pour vous amuser. À la maison familiale, quand nous étions petites, mon père nous faisait jouer à l'oignon. Il coupait un oignon en deux et le jeu consistait à essayer de nous le faire goûter. Imaginez le scénario. Il nous laissait la chance, vous savez bien, mais il s'arrangeait toujours pour qu'enfin on puisse se faire frôler les lèvres par ce charmant légume. On s'amusait énormément à se rouler sur le plancher de la cuisine.

- Ma mère était moins du genre à se rouler par terre avec nous, mais elle était très présente. D'ailleurs, mes parents sont toujours aussi présents pour nous aujourd'hui et nous avons un esprit de famille assez exceptionnel. On s'aime et on le démontre. Elle me faisait asseoir sur le comptoir quand elle préparait les repas et me permettait de participer à la tâche. J'adorais. J'aimais tellement cela que j'ai étudié en diététique. Comme j'étais enfant unique jusqu'à mon entrée à l'école, elle m'a consacré beaucoup de temps. Nous vivions sur une ferme, alors l'hiver elle avait plus de disponibilité. Elle m'a enseigné à lire et à écrire. Ce contact privilégié était très nourrissant. Mon but n'est aucunement de vous raconter ma vie, mais de vous inciter à profiter du bonheur qui est là avec ceux que vous aimez.

*La pêche*

Un vieux Parisien en vacances d'hiver dans les Alpes eut l'idée d'aller pêcher sur un lac gelé. Il s'installa donc avec son matériel au bord du trou et attendit. Au bout d'une heure, il n'avait toujours rien attrapé. C'est alors qu'arriva un gamin, qui perça un autre trou près de celui du vieux et qui se mit à pêcher aussi. Cinq minutes plus tard, l'enfant sortit un très gros brochet de l'eau. Le vieil homme pensa que c'était de la chance et prit son mal en patience. Mais cinq minutes plus tard, le gamin en sortit un autre, puis un saumon, et encore un brochet.

L'homme s'approcha du garçon: «Hé, petit, ça fait plus d'une heure que je suis là et je n'ai rien pris, et toi, en un quart d'heure, tu sors une demi-douzaine de monstres. Comment fais-tu?

— Fo waé lé wér o ho! répond l'enfant.

— Hein? Fo waé lé wée o cho! Je ne comprends rien, peux-tu articuler?»

Alors, le gamin crache un truc qui bouge dans sa main et dit: «Il faut garder les vers au chaud!»

Que conseillez-vous à un cannibale qui a des brûlures d'estomac ?
Des pompiers.

- Lisez à vos enfants des histoires comiques. Cela favorise l'apprentissage de la lecture de même que l'imagination.

- Inventez des histoires au coucher au lieu d'en lire. Mon père nous en a tellement raconté qu'on en rit encore. Il a fait preuve d'une imagination exemplaire, pour notre plus grand bonheur. Il nous inventait des histoires de taureau volant, de petites souris espiègles, etc. Il en raconte encore aux enfants de ma sœur, qui n'ont que deux et trois ans. Il nous en avait même enregistré quelques-unes que je garde précieusement. Mes enfants se souviennent que j'ai bien utilisé cette approche. On avait notre code au coucher : une histoire dans un livre ou une histoire inventée, comme ils disaient. Jusqu'à l'âge de sept ans environ, je leur ai raconté une histoire chaque soir. C'était le moment privilégié que je passais avec eux. J'en profitais pour leur demander ce qu'ils avaient le plus aimé dans leur journée pour intensifier le positif et je vérifiais aussi s'il y avait de petits nuages. C'était le mot magique pour enlever les petites peines ou les soucis qui pouvaient traîner et ils les partageaient avec moi comme ils le font encore aujourd'hui, mais différemment bien sûr, car ils sont maintenant en âge de conduire un véhicule sur la route. L'habitude de communiquer entre nous est restée. Alors, lorsque le choix se portait sur une histoire inventée, je dois vous dire que je riais autant qu'eux. On se souvient encore de l'histoire que je leur ai inventée et qui mettait en scène un gros éléphant fatigué de vivre dans la jungle. Pour rendre la chose encore plus comique, je disais : « Un go go éléphant. » Ce gros personnage se retrouve donc en ville et s'adresse à un concessionnaire de motos, pour visiter les espaces urbains. L'homme ne veut pas accéder à sa demande, mais l'éléphant réussit tout de même à obtenir un véhicule et là, toute une série de péripéties se produisent: motos écrabouillées, oublis d'arrêter aux feux rouges, etc. L'éléphant retourne même chercher les singes dans la forêt tellement il a du plaisir en ville et il leur suggère d'aller voir le concessionnaire de motos et là, le même manège recommence. Il ne veut pas laisser de motos aux singes, mais ils réussissent eux aussi à en obtenir une et leurs queues restent prises dans les roues, etc. On a tellement ri de cette histoire qu'elle est demeurée au palmarès quelques semaines. Laissez aller votre imagination, vous serez surpris et vos enfants en seront ravis.

- Cherchez des formes dans les nuages, dessinez des soleils dans la boue avec vos orteils, faites des châteaux de sable.

- Faites place à une douce folie, à la simplicité et à la spontanéité.

- Il n'est aucunement nécessaire de faire cela tous les jours, mais essayez le plus souvent possible.

- De bonnes activités relaxantes sont aussi appréciées des enfants, en alternance avec le jeu.

«Quel est le meilleur exercice que je puisse faire pour maigrir?», demande une patiente au médecin.

— C'est bien simple. Faites aller votre tête de gauche à droite quatre fois de suite.

— Mais quand?

— Chaque fois qu'on vous offrira de la nourriture.»

- Vous pouvez jouer à faire ce que j'appelle des lulus, c'est-à-dire de petits mèches de cheveux que l'on attache avec de petits élastiques. Chez nous, c'était un jeu bien populaire quand nous étions petites. Nous avons déguisé mon père et ma mère plus d'une fois. Je me souviendrai toujours de ce beau dimanche après-midi où ils étaient tous les deux à leur meilleur, avec chacun une trentaine de petits lulus sur la tête, quand soudain des visiteurs sont arrivés chez nous. Je ne les ai jamais vus se sauver aussi vite dans la salle de bain! Imaginez la scène! Comme je dis à la blague, ils avaient des antennes pour capter plusieurs postes de radio. C'est même un jeu que vous pouvez faire dans le temps des fêtes: qui fera le plus de lulus à son partenaire en deux minutes? Vous essayerez de ne pas rire... c'est perdu d'avance.

## S'amuser en couple

Cessez d'être parent 24 heures sur 24. Vous avez un travail, des amis, un conjoint? Profitez-en. Le samedi soir, confiez vos enfants à une gardienne et allez souper au restaurant. Prenez soin de votre couple, soyez amoureux, réservez-vous des temps libres. Je n'ai jamais rencontré des enfants malheureux parce que leurs parents étaient heureux ensemble. L'unité d'un couple donne le ton à la maisonnée. L'enfant est très sensible à la nervosité et au stress des parents. Si l'atmosphère est bonne, l'enfant en profitera.

Archéologue: meilleur mari qu'une femme puisse espérer; plus elle vieillit, plus il s'intéresse à elle.

Voici tout d'abord quelques exemples d'ennemis du couple.

*La télévision.* La télévision peut refroidir l'amour et réduire la qualité des échanges. Prendre son repas tous les soirs en écoutant un bulletin d'informations relatant les guerres dans le monde est loin de faciliter le rapprochement après une dure journée de travail. Regarder un bon film, côte à côte sur le canapé, peut paraître bien romantique et a certainement sa place mais, si les films sont au menu tous les soirs, où est le temps pour se parler?

*Les pantoufles.* Que ce soit ou non une conséquence de la présence de la télévision, vous sortez de moins en moins. Qu'avez-vous fait de ce petit bistro que vous aimiez tant, des soirées au cinéma qui se prolongeaient en débats passionnés ou des discothèques qui vous permettaient de vous émoustiller?

*Les heures supplémentaires.* Vous reste-t-il du temps pour la vie familiale, ou les heures supplémentaires sont-elles devenues trop présentes?

*La tenue personnelle.* Préférez-vous vous promener en jogging en tout temps ou optez-vous pour des vêtements un peu plus seyants? Préférez-vous le style bigoudis ou un petit genre nouveau à l'occasion? Laissez-vous traîner vos affaires dans toute la maison ou en prenez-vous soin? Certes, votre conjoint vous aime comme vous êtes, mais pourquoi ne pas faire des efforts pour vous montrer sous

*À propos de la nuit dernière*

Je voulais te dire que, couché dans mon lit, pensant à toi, j'ai senti ce besoin urgent de t'attraper et de te serrer très fort parce que je ne peux oublier la nuit que tu m'as fait passer.

Tu es venue pendant cette nuit calme et ce qui est arrivé dans mon lit me laisse encore de drôles de sensations.

Tu es apparue de nulle part et, sans aucune gêne ni retenue, tu t'es couchée sur mon corps, tu as fais de moi ton terrain de jeux, tu t'es nourrie de ma sève, et tu en redemandais…

Tu as senti mon désir de te posséder à mon tour, alors tu as commencé à me mordre sans remords ou humiliation et ça m'a rendu fou. Ce matin, lorsque je me suis réveillé, tu étais partie.

Je t'ai cherchée partout sans succès; seuls les draps sont encore témoins de ce qui s'est passé la nuit dernière. Mon corps porte encore les marques de ta visite, ce qui rend encore plus dur ton oubli.

Ce soir, je vais rester réveillé à t'attendre, ma vilaine mouche!

votre meilleur jour de temps en temps? Serait-ce possible que ces petites attentions lui démontrent que vous attachez de l'importance à sa présence et à l'impression que vous lui laissez! Libre à vous de faire ce qui vous chante, ce ne sont que de simples idées.

*Le manque d'attention.* Il ne s'agit aucunement de vous inciter à offrir des fleurs ou de petits cadeaux, mais simplement à regarder votre partenaire, à remarquer sa nouvelle coiffure ou un nouveau vêtement au lieu de dire: « Combien as-tu payé? » Surtout, osez lui dire quand vous le trouvez élégant, car les compliments sont toujours agréables.

Une femme se promène en bikini sur la plage. Un officier lui dit: « Je regrette, ma chère dame, mais les deux-pièces sont interdits ici. » La femme lui répond: « D'accord, mais laquelle des deux pièces dois-je enlever? »

*Le manque de complicité*

- La vie sexuelle est importante dans un couple et il est pertinent de faire place à la fantaisie et à l'imagination. Réservez-vous des périodes d'intimité, variez les lieux et les façons de faire.

- Engagez une gardienne pour aller faire l'amour dans un motel.

- Préparez-vous un bon petit repas du soir, comme une fondue, que vous pourrez déguster dans la chambre, nus et à la lueur d'une bougie.

- Allez danser ensemble, abreuvez-vous des mouvements de l'autre, ayez un regard complice et aguichant.

- Embrassez-vous en plein milieu d'une rue tranquille.

- Écrivez-vous de petits messages de tendresse.

- Apportez vos coupes de vin au lit et laissez aller votre imagination.

- Étendez une grande feuille de plastique sur votre lit, versez-y de l'huile à massage et laissez jaillir votre créativité.

- Ne tenez jamais l'autre pour acquis.

- Voilà ce qu'une cliente m'a raconté. Elle voulait célébrer l'anniversaire de son conjoint d'une façon spéciale. Quand il est rentré du travail, il a trouvé un petit message sur la table. Il était invité à une chasse au trésor des plus originales. Ce premier mot l'invitait à se rendre dans un autre endroit de la maison où un deuxième message l'attendait. Chaque fois, il était invité à enlever un vêtement et à se rendre au prochain endroit jusqu'à ce qu'il soit complètement nu. Le dernier message le dirigeait vers la chambre à coucher, où sa conjointe l'attendait, nue, dans un lit couvert de ballons. Imaginez la suite.

- Ayez du plaisir ensemble. Retournez faire des promenades en voiture dans les petits chemins de campagne et arrêtez-vous, ne serait-ce que le temps d'échanger quelques tendres baisers. Allez marcher en forêt main dans la main.

- Le rire peut aussi s'avérer un élément clé dans la vie sexuelle. Rire augmenterait la réceptivité de la femme tout en favorisant l'érection chez l'homme. Si vous rigolez toute la soirée avec votre partenaire, il y a de bonnes chances que vous ayez un rapport charnel réussi. Ce sera plus naturel qu'un comprimé de Viagra pris avec angoisse.

- Un ami m'a raconté une aventure que son grand-père de 83 ans a vécue il y a quelques années. Il vivait dans une résidence pour personnes âgées et, étant veuf, il a fait la rencontre d'une gentille dame qu'il a épousée. Il m'expliquait que son grand-père aime toujours faire l'amour. Dans leur chambre, les lits jumeaux, éloignés l'un de l'autre, ont été rapprochés côte à côte pour les besoins de la cause. Un jour, en pleine action, les lits se sont séparés et nos deux tourtereaux se sont retrouvés au sol, monsieur par-dessus madame. Le problème, c'est qu'ils n'avaient pas la force de se relever seuls et qu'ils ont dû avoir recours à la sonnerie d'urgence pour pouvoir sortir de leur fâcheuse position. Mais une chose est certaine : il n'y a aucune limite d'âge pour se faire du bien.

Une femme demande à une amie : « Et toi, quelle sorte de vie sexuelle as-tu ?

— Je suis croyante, mais non pratiquante. »

*L'absence de buts.* Ayez des projets à court terme, que ce soit à propos d'un lieu de vacances ou de l'achat d'une voiture. Prenez du temps pour réfléchir à vos projets d'avenir. Cela vous apportera un sentiment de complicité et le goût d'aller de l'avant ensemble.

*Le silence.* Accordez-vous du temps pour vous parler. Par exemple, prenez 15 minutes au coucher pour raconter ce qui vous a rendu heureux aujourd'hui ou au moins pour vous faire les yeux doux. Est-ce que votre relation tient par le désir d'être ensemble ou par la dépendance ?

## Outils de communication

Saviez-vous que, lors d'une communication interpersonnelle, 55 % du message est relié à notre physiologie : expression faciale, gestes, regard, etc. ? Par exemple, vous dites : « Je suis d'accord avec vous », mais votre tête fait signe que non. Le tonal, lui, compte pour 38 % : vous dites « oui », mais sur un ton déçu. Quant aux mots, ils ne véhiculent que 7 % du message.

À quel temps de verbe est la phrase suivante : « Ils voulurent deux enfants et en eurent neufs » ? Au préservatif imparfait.

 **Exercice**

## Déterminez votre style de communication

Cet exercice vous aidera à déterminer si vous êtes surtout visuel, auditif, kinesthésique ou auditif digital. Dans chacune des situations, classez les choix de réponses de 4 à 1, selon votre préférence (4 correspond à ce qui vous rejoint le plus et 1 à ce qui vous rejoint le moins).

1. Vous achetez un vêtement parce que:
   a) vous trouvez qu'il vous va bien quand vous êtes devant le miroir. ___
   b) son prix a du bon sens. ___
   c) il est confortable et soyeux. ___
   d) vous vous dites qu'il semble pratique. ___

2. Quand vous êtes sur la plage, vous êtes intéressé par:
   a) le chant des oiseaux, la musique des vagues, les gens qui parlent. ___
   b) planifier votre prochaine promenade. ___
   c) la beauté du paysage. ___
   d) les sensations que cela vous donne. ___

3. Dans un autobus, un avion ou un métro:
   a) vous structurez votre journée, en pensée ou sur papier. ___
   b) vous ressentez que vous êtes plus ou moins bien. ___
   c) vous écoutez parler les gens. ___
   d) vous observez les gens. ___

4. Vous communiquez:
   a) en fonction de vous faire entendre. ___
   b) avec des propos logiques, qui sont plein de sens. ___
   c) avec ce que vous ressentez. ___
   d) avec l'image que vous projetez. ___

5. Lorsque vous avez une décision à prendre, vous le faites quand:
   a) cela a bien de l'allure. ___
   b) cela sonne bien. ___
   c) c'est clair. ___
   d) vous vous sentez bien avec cela. ___

Compilation des résultats. Prenez d'abord la première colonne du tableau ci-dessous. Au numéro 1 d, quel chiffre avez-vous indiqué? Écrivez-le dans le tableau vis-à-vis du d. Faites la même chose avec les numéros 1 a, 1 c et 1 b. Prenez ensuite la deuxième ligne et écrivez les chiffres selon l'ordre prescrit, puis répétez la démarche pour les cinq numéros. Les lettres ont été volontairement mélangées pour maximiser le test. Additionnez ensuite les chiffres de chaque colonne et tirez vos propres conclusions. Vous pourrez consulter la définition de chaque mode plus loin.

| Numéros | Auditif | Visuel | Kinesthésique | Auditif digital |
|---------|---------|--------|---------------|-----------------|
| 1 | d = | a = | c = | b = |
| 2 | a = | c = | d = | b = |
| 3 | c = | d = | b = | a = |
| 4 | a = | d = | c = | b = |
| 5 | b = | c = | d = | a = |
| Total | | | | |

Vous remarquez probablement qu'il y a des chiffres qui sont assez semblables, par exemple il se peut que vous ayez un mode qui ressorte plus que les autres. Il n'y a rien de normal ou d'anormal là-dedans, c'est votre «structure interne» qui est ainsi. Si on interprète les résultats en termes de facilité à communiquer, plus vous avez des chiffres semblables, plus vous avez de facilité à entrer en relation avec les gens, car vous vous adaptez plus aisément à leur mode de communication de façon spontanée.

Donc, en famille ou au travail, le fait de comprendre ces particularités vous aidera à réaliser pourquoi telle personne adopte tel type de comportement. Nous allons regarder de plus près chacun des modes de communication afin d'en distinguer les particularités. Rappelons-nous que nous avons tous des caractéristiques de chaque mode, mais à des niveaux différents.

## Caractéristiques de chacun des modes de communication

Le mode visuel est dominant chez environ 40 % de la population.

- Ce sont des gens qui ont tendance à se tenir plutôt droits.

- Ils regardent surtout vers le haut, car les images mentales sont ainsi accessibles au niveau cérébral et ils fonctionnent en voyant des images dans leur tête.

- Ils sont plutôt rapides dans ce qu'ils font et tout passe vite dans leur tête.

- Leur discours a un débit rapide. Ils sautent parfois de petits bouts de phrases ou remplacent un mot par un autre si le terme approprié ne leur vient pas en tête.

- Ils prennent des notes, car ils retiennent l'information en voyant les choses. Un message écrit sera beaucoup plus efficace qu'un message dicté.

- Ils sont influencés par l'apparence des choses.

- Ils regardent dans les yeux.

- Ils utilisent des mots à caractère visuel : « Vois-tu ce que je veux dire ? Regarde si la musique est bonne. »

- Ils se reculent pour mieux voir les gens ou ce qui les intéresse.

- Ils ont tendance à interrompre leur interlocuteur pour éviter de perdre leur idée.

- Ils parlent beaucoup avec les mains, ils gesticulent.

- Ils retiendront beaucoup plus facilement une nouvelle vue à la télévision ou lue dans un journal qu'une nouvelle entendue à la radio.

- Ils respirent davantage avec le haut des poumons car, leur débit étant rapide, ils ont moins le temps de faire des réserves d'air.

- Ils ont de la difficulté à écouter, car ils sont portés à parler en même temps que leur interlocuteur.

Les auditifs constituent une tendance chez 40 % de la population.

- Ils évaluent selon ce qu'ils entendent. Ils sont excellents pour vous dire si un moteur est en ordre ou pas par le son qu'il émet.

- Ils retiendront mieux une nouvelle entendue à la radio.

- Ils retiennent mieux un message dicté de vive voix qu'un message écrit.

- Ils respirent davantage à partir du milieu du ventre, car leur débit de parole est plus lent que celui des visuels.

- Ils sont portés à se tenir sur un pied plus que sur l'autre ; ils tendent l'oreille et penchent la tête un peu de côté.

- Ils ont le regard plus vers le centre de l'œil et leurs yeux se déplacent latéralement, car ils gèrent leurs banques d'informations à partir principalement des sons entendus. Ce type de mouvement oculaire s'explique lui aussi par le fait que les sons sont ainsi accessibles au niveau cérébral.

- Leur débit est régulier.

- Ils font régulièrement des pauses en parlant et disent souvent : « Euh… »

- Il leur arrive de remuer silencieusement les lèvres en lisant ou en réfléchissant ; ils peuvent même laisser échapper quelques murmures.

- Ils préfèrent étudier en silence ; les visuels étudient en écoutant de la musique.

- En vacances, ils aiment visiter les musées et les visuels attendent après eux.

- Ils réagissent davantage au ton de la voix qu'aux paroles.

- Ils verront les embûches qui attendent les visuels dans la mise en action d'un projet. Les visuels sont tout feu tout flamme, mais se font parfois jouer des tours. La personne auditive étant plus posée, elle tentera de tempérer les excès ou corrigera les petites erreurs.

- Ils aiment l'ordre.

- Ils emploient des termes de nature auditive : « M'entends-tu ? » « Écoute. »

- Ils ont en général une bonne flexibilité.

- Ils ont de la difficulté à observer. Ils sont ordonnés, mais oublieront de ranger le pot de beurre d'arachide ou la pâte dentifrice après s'en être servi.

La prédominance kinesthésique concerne environ 15 % de la population.

- Ces gens aiment vivre au rythme de la nature.

- Ils regardent davantage en bas à droite ; cette zone visuelle est en lien avec les sensations.

- Ils fonctionnent en manipulant les informations à travers leurs sens et vérifient s'ils ont un « bon *feeling* ».

- Ils sont excellents dans les arts plastiques, les sports, la menuiserie, les arts de la scène, car ils fonctionnent beaucoup avec leurs sensations.

- Habituellement, ils parlent lentement et respirent profondément jusqu'au bas-ventre.

- Ils apprennent en bougeant, en touchant et en manipulant.

- Ils aiment se flatter le ventre, toucher et entrer en contact physique. Si un homme kinesthésique veut courtiser une femme visuelle, celui-ci sera porté à se rapprocher pour lui mettre une main sur l'épaule et la femme visuelle tendra à se reculer pour mieux le voir. Si celui-ci n'est pas au courant de ces caractéristiques, il pourra penser qu'elle n'est pas intéressée alors qu'au contraire elle veut avoir un vue d'ensemble du prétendant.

- Ils aiment les vêtements doux et confortables, peu importe la couleur et l'agencement.

- Ils aiment les fauteuils moelleux.

- Ils sont très brillants, mais ils passent à tort pour des individus lents.

- Ils aiment se sentir bien.

Le mode auditif digital rejoint 5 % de la population.

- Ces gens sont comme la réponse de la race humaine à l'informatisation. On y retrouve surtout des comptables, des programmeurs analystes, des gens chez qui la logique et la raison sont des traits dominants de la personnalité.

- Ils sont très ordonnés.

- Ils s'allient aux caractéristiques de l'auditif, mais avec la rapidité d'un visuel.

- Ils sont en général très intelligents, mais ils peuvent oublier leur femme sur la plage ou rater l'autobus qui mène à l'hôtel.

- Ils ont peu de goût pour la tenue vestimentaire ; seul les intéresse l'ordre dans lequel ils vont mettre leurs vêtements.

- Ils sont souvent intraitables dans leur spécialité mais, en dehors de cela, ils peuvent être de bons vivants.

Il y a d'autres modes dont vous entendrez peut-être parler un jour ou l'autre, tels que gustatif ou olfactif, mais je crois qu'ils n'ajouteraient rien à la compréhension du sujet.

## Tableau de certains termes utilisés par chaque mode de communication

Ces quelques prédicats (termes attribués) sont des mots que vous entendrez dans le discours des gens.

| Visuel | Auditif | Kinesthésique | Auditif digital |
|--------|---------|---------------|-----------------|
| Image | Mélodieux | Bon feeling | Ça a du bon sens |
| C'est clair | Entendre | Toucher | Structurer |
| Vois-tu | Écoute | Doux | Planifier |
| Remarque | Bon son | Plein les bras | Énumérer |
| Plein la vue | Être toute oreille | Émouvant | C'est logique |

| Ça saute aux yeux | Au diapason | Confortable | Ça a de l'allure |
|---|---|---|---|
| Vie en couleur | Ça sonne faux | Coup de main | Procédons |
| Faut-il un dessin? | Dire | Soyeux | Un, deux, trois |
| C'est obscur, cette affaire | Articuler | Ressentir | Décortiquer |

Connaissant ces trucs, vous pourrez avoir plus de compassion envers l'autre quand il fera les choses différemment de vous. Vous le comprendrez probablement mieux. Rien n'empêche de s'améliorer afin de tendre à utiliser les trois principaux modes de communication mais, au jour le jour, l'important est d'être bon avec soi et les autres et de garder le sourire.

Inscription lue à l'arrière d'un camion: « Homme cherche femme pour relation stable, aimant la pêche. SVP, envoyez une photo du bateau. »

Soyez créatif dans la simplicité. La vie nous offre mille et une façons de nous amuser. Nous n'avons qu'à lui ouvrir la porte et à choisir d'être heureux par le plaisir, et le changement va s'amorcer.

« La vie, la découverte de soi se présentent souvent à nous au moment où nous avions planifié faire autre chose! »

### Petit poème surprise

La nuit était noire
La lune était blanche
Nous étions seuls
Elle et moi
Sa peau si douce
Ses yeux si bleus
Je savais ce qu'elle
Attendait de moi
Je lui dis de se calmer
De ne pas se rebeller
Je fis courir ma main
Doucement sur ses fesses
Je n'y connaissais rien
Mais je fis de mon mieux
Pour placer mes doigts
Au bon endroit
Je me souviens de ma peur
De l'excitation de mon cœur
Jusqu'à ce moment béni
Où ma honte s'enfuit
Après quelques Hisse! et Han!
Il ne fallut pas longtemps
Pour qu'en un jet puissant
Jaillisse le liquide blanc
Enfin, j'avais réussi
J'étais un homme à présent
C'était la toute première fois cet automne...
Que je trayais une vache

## Le bonheur est à votre portée

Il n'y a pas de meilleur temps pour
être heureux que maintenant.
Notre vie sera toujours remplie de défis.
Il est préférable de l'admettre et de
décider d'être heureux malgré tout.
Une phrase d'Alfred D. Souza dit :
« Pendant très longtemps, il me semblait que ma vie
allait commencer – la vraie vie.
Mais il y avait toujours des obstacles le long du chemin,
une épreuve à traverser,
un travail à terminer, du temps à donner, une dette à payer.
Puis, la vie commencerait.
J'ai enfin compris que ces obstacles étaient devenus ma vie. »
Cette perspective m'a aidé
à voir qu'il n'y a pas de chemin vers le bonheur.
Le bonheur est le chemin...
Alors, appréciez chaque instant.
Appréciez-le davantage parce que vous l'avez partagé avec
quelqu'un de spécial,
assez spécial pour partager votre temps, et rappelez-vous
que le temps n'attend après personne...
Alors, cessez d'attendre d'avoir fini l'école, de retourner
à l'école, de perdre dix kilos, de prendre dix kilos,
de commencer à travailler, de vous marier,
à vendredi soir, à dimanche matin, d'avoir une nouvelle
voiture ou que votre hypothèque soit payée, au printemps,
à l'été, à l'automne, à l'hiver, au premier ou au quinze
du mois, que votre chanson passe à la radio,
de mourir, de renaître, avant de décider qu'il n'y a pas
de meilleur temps que maintenant pour être heureux.
Le bonheur est un voyage, pas une destination.
Travaillez comme si vous n'aviez pas besoin d'argent.
Aimez comme si vous n'aviez jamais été blessé.
Et dansez comme si personne ne vous regardait.

# Chapitre 12

# Le rire par le jeu

## Le jeu, un besoin

On remarque que le jeu est un besoin humain qui s'exprime intensément durant l'enfance et qui est plutôt mal jugé rendu à l'âge adulte. L'enfant sait spontanément comment s'amuser avec presque rien; sa créativité est en ébullition.

Serait-ce utile en tant qu'adulte de se laisser aller à quelques douces folies des plus amusantes et surtout comiques? Le jeu ramène au moment présent et nous fait sentir en vie. Les prochaines pages vont sûrement vous donner de bonnes idées et j'espère surtout qu'elles vont vous redonner le goût de jouer encore plus.

Un jour, un vieil homme de 92 ans annonce à sa famille que sa jeune femme de 29 ans est enceinte. Un sage de cette famille s'assoit calmement avec le vieillard et lui dit: «Vous souvenez-vous de l'époque où vous me racontiez que vous alliez à la chasse à l'ours? Un jour, vous avez tiré, mais il n'y avait aucune balle dans votre arme, et l'ours est tout de même tombé sur le sol.» Le vieil homme répondit: «Oui, je me souviens, quelqu'un d'autre avait tiré.» Le sage lui dit alors: «Vous voyez ce que je veux dire?»

## Le jeu coopératif

Quand on parle de jeu, certains sont tentés de dire qu'ils jouent au golf, au hockey, aux quilles, etc. C'est merveilleux, cela nous fait bouger et nous change les idées. Je vous suggère toutefois une avenue un peu plus légère et à la portée de tous, car le jeu coopératif ne coûte rien. Vous vous demandez peut-être pourquoi parler de jeu coopératif au lieu de compétitif? Avec le jeu coopératif, il n'y a ni gagnant ni perdant, tout le monde s'amuse. Personne n'est éliminé ni rejeté par le groupe, ce qui valorise l'entraide et l'échange.

Le jeu doit devenir une source de délassement et de socialisation qui ressource. Il doit permettre de rompre avec le quotidien en créant un sentiment de fraîcheur même si parfois il peut réchauffer le cœur et le corps. Le jeu aère l'esprit et facilite par la suite la prise de décisions et la créativité.

Le jeu coopératif est un élément important pour faciliter le travail d'équipe. Plus on rit ensemble, plus on a de complicité et plus le climat peut être serein et harmonieux. Le plaisir doit faire partie intégrante du jeu pour lui donner tout son sens et sa valeur.

Dans la mesure du possible, j'utilise abondamment le jeu coopératif dans les conférences, les formations et les ateliers que j'offre. Je ne me contente pas de faire jouer les gens juste pour les faire jouer. Ayant des objectifs précis en vue de favoriser un plus grand mieux-être chez les gens, je m'assure toujours que chaque jeu a un but pédagogique bien précis. Au moment de l'organisation d'un jeu, il est important de penser aux éléments suivants:

- Chacun doit s'amuser.

- Personne ne doit avoir besoin d'habiletés techniques ou physiques spéciales susceptibles de lui donner l'avantage sur les autres.

- Aucun participant ne doit être mis en évidence.

- Aucun participant ne doit être éliminé.

- Tout le groupe doit pouvoir participer activement.

- On doit favoriser les échanges entre les partenaires et les gestes coopératifs.

- Il ne doit pas y avoir de limite quant au nombre de participants.

- L'activité doit être stimulante.

- Les consignes doivent être claires et simples.

- Les règles du jeu doivent pouvoir être simples et sujettes à changement s'il y a possibilité de modifier le jeu pour qu'il apporte davantage de plaisir.

- Le jeu doit nécessiter le moins de matériel possible.

- Il faut valoriser certains objectifs simples: le plaisir d'être ensemble, mieux se connaître, créer des liens, etc.

- On doit animer avec humour.

- L'important, c'est de jouer pour jouer.

Voici quelques expressions qui peuvent ajouter une touche d'humour dans une conversation ou tout simplement devenir un jeu à faire en voiture ou lors de fêtes familiales.

Le but du jeu est de vous montrer comment changer un mot ou plus dans une phrase peut faire réagir les gens. J'ai choisi ici des expressions québécoises, en donnant leurs significations, mais cet exercice peut se faire quelles que soient votre langue et les expressions utilisées.

- La vraie expression : « Je suis né pour un petit pain. » (Né pour vivre pauvrement.)

  L'expression modifiée : « Je suis né dans un petit pain. »

- La vraie expression : « Il est arrivé comme un cheveu sur la soupe. » (À l'improviste.)

  L'expression modifiée : « Il est arrivé comme un cheval sur la soupe. »

- La vraie expression : « Il a coulé beaucoup d'eau sous les ponts depuis. » (Il s'est passé beaucoup de chose depuis.)

  L'expression modifiée : « Il a coulé beaucoup d'encre sous les ponts depuis. »

- La vraie expression : « Il ne faut pas mordre la main qui nous nourrit. » (Il faut éviter de faire du mal à celui qui nous rend service ou qui nous permet d'avoir un emploi.)

  L'expression modifiée : « Il ne faut pas tordre la main qui nous nourrit. »

- La vraie expression : « Il ne faut pas vendre la peau de l'ours avant de l'avoir tué. » (Il ne faut pas faire de promesse qu'on ne pourra pas tenir.)

  L'expression modifiée : « Il ne faut pas se coucher sur l'ours avant de l'avoir tué. »

# Suggestions de jeux

## Les lettres comiques

Prenez une lettre de l'alphabet au hasard et tentez de trouver un mot drôle qui commence par cette lettre (A : anus, G : gorille, M : merde). Vous pouvez en profiter pour laisser libre cours à vos expressions régionales, par exemple avec la lettre C, on a cossin, qui signifie, entre autres, une chose de mauvaise qualité. À faire en voiture avec les enfants.

## Jeux de party

Écrivez sur trois bouts de papier les noms des animaux d'une même famille, par exemple bébé lion, maman lion, papa lion. Faites piger un papier par personne. Il doit y avoir autant de chaises qu'il y a de familles d'animaux. Le but est d'asseoir les familles sur une même chaise. Papa devrait être en dessous, maman au milieu et bébé au-dessus. Imaginez la scène si le bébé est un oncle de 125 kg et que la maman ne pèse que 48 kg. Attention quand la famille se réunit ! Au signal, tous doivent faire le cri de l'animal qu'ils ont pigé pour que les familles puissent se reconnaître.

### Variante de ce jeu pour un grand groupe

Choisissez un certain nombre d'animaux. Si, par exemple, vous avez 50 participants, préparez 10 papiers sur lesquels il sera écrit chat, 10 pour chien, et ainsi de suite. Mélangez tous ces papiers dans un contenant et faites-en piger un à chaque personne. Cette fois-ci, au signal, les familles devront former autant de groupes qu'il y a de types de cris. Chaque famille devra être entièrement formée.

## Le mannequin déguisé

Chaque équipe a un mannequin à déguiser. Ayez un nombre égal de vieux vêtements pour chaque participant qui sera mannequin. Formez des équipes de quatre joueurs. Au signal, la première personne en ligne se dépêche, prend un vêtement et l'enfile sur le mannequin. Elle revient vite, tape la main du deuxième joueur qui va, à son tour, mettre un vêtement au mannequin, et ainsi de suite, à tour de drôle. Il y a un peu de compétition dans ce jeu, direz-vous, mais le but est seulement de rire. Peu importe qui finira en premier. Le mannequin ne doit en aucun temps aider les joueur et il doit bouger le moins possible.

## La poche de guenilles

Amassez plein de vieux vêtements que vous aurez mis dans une poche. Placez les gens en cercle et assurez-vous d'avoir une radio à portée de la main. Faites jouer de la musique pendant que les participants se passent la poche de guenilles. Quand la musique arrête, la personne qui a la poche en sa possession doit piger un vêtement sans regarder et l'enfiler. On repart la musique et on fait ce manège jusqu'à ce qu'il n'y ait plus de vêtements. Très drôle.

## La bûche empoisonnée

Il faut être assez en forme pour participer à ce jeu. Placez au centre de la pièce un objet que l'on peut renverser facilement en le touchant (quille, boîte de carton, etc.). Placez les gens en cercle. Tous doivent se tenir par la main. Au signal, chacun doit tenter de bousculer les autres pour leur faire toucher la bûche empoisonnée. Si elle tombe, vous avez réussi et tout le monde continue. Les plus compétitifs choisiront d'éliminer celui qui a touché la bûche, mais je laisse cela à votre discrétion.

## Jeu de mime

À tour de rôle, les invités miment une action que les autres doivent deviner (faire son lit, passer l'aspirateur, chanter, prendre sa douche, manger une glace, décorer un sapin de Noël, etc.). Vous choisissez ce qui vous vient à l'esprit, simplement.

## Danse sur du papier journal

Chaque participant se tient debout sur une feuille de papier journal. Mettez de la musique. Les participants doivent danser en restant sur leur feuille. Chaque fois que le musique s'arrête, ils doivent plier la feuille en deux. Le jeu est d'essayer d'y rester le plus longtemps possible. Certains se placent même à deux sur une même feuille, c'est un peu plus acrobatique.

## Bizz buzz

Les joueurs sont assis en cercle ou debout. L'un d'eux commence le jeu en disant «un». Son voisin de gauche dit aussitôt «deux», et ainsi de suite. Il est cependant interdit de dire 5 et 7. Il faudra plutôt dire bizz au lieu de 5 et buzz pour 7. Donc, le joueur qui tombera sur 17 dira dix buzz, 25 vingt bizz, et 75 buzz bizz. Essayez de faire le jeu le plus rapidement possible.

## Le texte comique

Partagez les joueurs en plusieurs groupes de cinq ou six personnes. Donnez à chaque groupe une feuille de papier et un crayon afin qu'ils y écrivent un court texte de quelques lignes. Ils peuvent choisir de raconter un événement, de décrire un personnage inventé, leur patron, peu importe. Passez ensuite cette feuille à l'équipe suivante pour qu'elle continue d'écrire le texte. Faites circuler la feuille jusqu'à ce qu'elle ait fait le tour de tous les groupes. Choisissez ensuite un porte-parole qui lira le texte tout haut. Essayez de ne pas lire le texte des autres pour lui donner des tournures plutôt cocasses.

À la cafétéria, un client demande quel est le choix du midi. On lui répond: «Du poulet.
— Mais quel est le choix dans ça?
— Vous avez le choix d'en prendre ou pas.»

**Variante 1** : Chaque membre du groupe écrit un nom (Le chien). Le suivant écrit le verbe (prend un verre) et un dernier écrit le complément (en attendant la belle-mère). Il faut éviter que la phrase se tienne ; elle doit être drôle et loufoque. Si vous êtes plusieurs par groupe, faites plus d'une phrase.

**Variante 2** : C'est le même principe, mais en utilisant le dessin. Le premier joueur dessine une tête et plie la feuille pour laisser paraître le cou. Le joueur suivant poursuivra le dessin, et ainsi de suite jusqu'aux pieds. Dépliez ensuite la feuille. Vous pouvez choisir un tout autre type de dessin.

## Marche rapide saccadée

Chacun se déplace dans la pièce d'un pas très rapide et de façon saccadée. Par exemple, on peut commencer en disant : « On marche comme un joueur de quilles, comme un singe, etc. » Au signal de départ, on met de la musique et, lorsqu'elle s'arrête, les joueurs doivent garder la posture et se regarder mutuellement. Puis on recommence. Vous pouvez faire ce jeu sans thème spécifique aussi. Les joueurs se placent ensuite dos à dos pour se détendre s'ils le veulent.

À l'école, un enfant demande au professeur pourquoi le directeur n'a presque pas de cheveux. Le professeur répond : « C'est parce qu'il est très intelligent et qu'il réfléchit beaucoup.

— Alors, pourquoi en avez-vous autant ? »

## Les mots comiques

À tour de rôle, dites un mot comique ou non qui peut avoir un certain lien avec celui du voisin. Par exemple, un participant part la chaîne en disant banane, vous enchaînez avec singe, l'autre pourrait dire arbre, etc.

## L'histoire décousue

Un premier participant fait un petit bout d'énoncé incomplet et le joueur à sa droite doit enchaîner, et ainsi de suite. Il faut éviter de donner une logique à l'histoire, c'est son côté absurde qui est très drôle. Par exemple : « Il paraît qu'il va pleuvoir tantôt. » « C'est pour ça que j'ai envoyé mon auto au garage. » « As-tu pensé à apporter tes condoms ? » « Ce sera bien meilleur avec du jus d'orange. » Essayez d'être le plus rapide possible, dites la première niaiserie qui vous vient à l'esprit.

Deux petits enfants discutent: « Moi, mon grand-père a besoin de trois paires de lunettes : une pour voir de près, une pour voir de loin et une pour trouver les deux autres. »

## Reconnaître son conjoint

Faites asseoir les hommes participant à la fête et qui sont en couple, puis faites-leur relever leur pantalon jusqu'aux genoux. Ensuite, demandez à leurs conjointes de se mettre un foulard sur les yeux. Leur défi sera de reconnaître chacune leur conjoint en touchant les mollets des hommes.

$$* * *$$

Le jeu vous offre donc une multitude de façons de vous laisser aller spontanément. Je vous ai présenté quelques exemples dans le but de vous aider à inventer les vôtres. Ce sont des jeux qui se font surtout en famille ou avec des amis. J'utilise une approche différente en salle, car le contexte est différent. Je vous dirais même que ceux que je fais faire sont encore plus drôles, mais vous comprendrez que je dois garder des surprise pour les gens qui se déplaceront et qui auront lu ce livre.

*Mot d'enfant*
Un professeur demande à un élève ce problème mathématique. « Si je tiens quatre pommes dans une main et trois pamplemousses dans l'autre, qu'est-ce que j'ai?
— De grandes mains. »

## Faits vécus drôles

Je vous propose ici quelques exemples de faits vécus cocasses qui m'ont été racontés afin de vous inspirer dans vos soirées entre amis.

- Un ami se promenait dans une quincaillerie et soudain il perdit son fils de vue. Il se promena dans les allées pour soudain l'entendre demander: « Papa, aurais-tu du papier hygiénique? » Il était assis sur une toilette en démonstration et avait fait son « caca » dedans. Quelle stupéfaction pour le père et l'employé!

- Cette histoire m'a été racontée par un ami qui en a été témoin. Dans la salle de bain, papier hygiénique et papiers-mouchoirs avaient été enlevés avant une fête d'amis et on avait inséré un rouleau de papier sablé à la place. Les gens se mettaient à crier au propriétaire: « Où est le papier de toilette, espèce de vilain? »

- Fatigué de recevoir toujours la même visite? Après la fin du repas, une femme a mis les quatre assiettes par terre pour que le chien puisse les lécher allègrement. Elle les a ensuite remises directement dans l'armoire. La visite n'est jamais revenue pour manger.

- Lors d'une fête de Noël, je recevais les deux familles. Nous avions planifié un échange de cadeaux; chacun des membres de la famille avait pigé le nom d'un parent quelques semaines plus tôt. J'étais tombé sur un beau-frère qui aime bien la campagne et les animaux et qui est un peu fermier à ses heures. Je lui ai fait un cadeau dont il se souviendra toujours. Dans une grosse boîte de carton,

273

j'ai percé quelques trous et, à la dernière minute, j'y ai mis une poule (j'en gardais à l'époque). J'ai emballé le tout comme si de rien n'était et j'ai placé la boîte sous le sapin. J'ai dû mettre de la musique pour m'assurer qu'on n'entende pas de gloussements. Lors du dépouillement, tout le monde était aux aguets devant une si grosse boîte et le beau-frère était tout heureux d'avoir le plus gros cadeau. J'ai monté le volume de la musique pour couvrir tous les bruits, et la petite poule a bien collaboré. Mon beau-frère a eu à peine le temps de verbaliser sa surprise que la poule a pris son envol dans la maison. Cette soirée fut mémorable, d'autant plus que tout le monde avait un chapeau loufoque sur la tête. Les hommes portaient des chapeaux de femme, et vice-versa.

- Ce tour a été fait souvent par des gens que je connais. Ils prenaient un malin plaisir à faire flotter dans les toilettes une tablette de chocolat dont la forme rappelle vous savez quoi. Ils en apportaient même dans les quincailleries pour en mettre dans les toilettes en démonstration.

- Exprimez-vous avec originalité en faisant des commentaires. Votre conjoint se lève et a les cheveux droits sur la tête : « Mais dis donc, est-ce que tu t'es peigné avec un pétard ? » D'autres prendront plaisir à éternuer démesurément fort pour provoquer les rires.

- En écoutant une émission humoristique, j'ai vu que, lors d'une exposition fantaisiste, des gens avaient mis du purin de porc dans un flacon et qu'ils demandaient aux visiteurs d'essayer leur nouveau parfum…

- Toujours dans la même émission, on voyait des exposants qui avaient mis un ressort dans un pot brun foncé contenant de l'eau. Quand quelqu'un dévissait le couvercle, le ressort se déployait et il se faisait arroser.

- Petites annonces comiques inspirées de sketches de François Pérusse. À vendre : vieux machin pour faire des boulettes de viande, bœuf haché encore dedans. On demande 2 $ et beaucoup de patience ; …prix à s'engueuler (plutôt que à discuter) ; Beau papier peint : nous l'avons déjà collé, mais il n'a jamais été regardé.

- Cette anecdote m'est arrivée dans un restaurant où je désirais commander une salade pour emporter. La serveuse me dit : « Désolée, madame, nous n'avons plus de plat pour servir la salade. » Je proposai donc : « Vous avez sûrement un grand verre que vous utilisez pour mettre les boissons gazeuses, alors mettez-la dedans. » Elle me regarda, soupçonneuse, et me dit : « Êtes-vous sérieuse ?
  — Oui, tout à fait, ça ne changera aucunement le goût. » Elle me l'a préparée et toute l'équipe a ri. Elle me dit : « J'ai hâte de raconter ça chez nous ce soir. » Voilà comment simplifier les choses et avoir du plaisir. En fin de compte, un employé a trouvé des plats. On m'a offert de me faire une salade selon les règles de l'art, mais j'ai refusé.

- Le frère d'un ami est taquin à l'extrême. On ne sait jamais ce qu'il va faire. Un jour que mon ami magasinait avec lui, il s'aperçut qu'il ne le trouvait plus. Il se promena dans les allées de la quincaillerie et soudain il entendit un son bizarre et réalisa qu'il y avait plein de monde rassemblé près des tentes montées en démonstration. Son frère s'était caché dans l'une d'elles, s'était entortillé avec de la corde et mimait un comportement débile. Quand il a vu arriver son frère, il a accentué son comportement, à la plus grande honte de celui-ci, et il lui faisait signe de venir le déprendre. Je vous laisse imaginer la suite. Mais ce n'est pas tout. Une fois sorti de là, il avait un autre tour dans son sac. Cette fois-ci, il s'est sauvé dans le rayon des bicyclettes pour enfants. Quand mon ami l'a retrouvé, il a fait une scène pour avoir la plus petite bicyclette.

Laissez aller votre imagination. Faites place à la joie, à la fantaisie et au rire. Bref, tous les outils de ce livre vous serviront à réveiller votre médecin intérieur.

# Conclusion

J'espère que ces pages ont réussi à ensoleiller tout votre être. Je vous suggère de relire ce livre quelques fois ou de le garder à portée de la main pour l'ouvrir de temps en temps. Le rire et l'humour sont comme un muscle, ils se renforcent avec l'usage. Le fait de relire les trucs proposés de temps à autre vous permettra de les garder encore plus actifs. Je vous invite à partager ce livre avec vos parents et amis afin de répandre la bonne humeur autour de vous.

Je vous encourage à faire tout votre possible pour continuer de prendre soin de vous avec amour et plaisir, car vous êtes important. Nous avons tous la responsabilité de gérer notre existence et vous avez en main les outils pour vous aider à avancer à pas de géant.

Autant la plus belle des fleurs a besoin d'eau, autant nous avons besoin de rire et de vivre pleinement ; alors faites-vous ce cadeau.

Le temps que vous venez de passer à lire *Réveiller son médecin intérieur* est un de vos meilleurs investissements. Vous avez en main plusieurs clefs pour ouvrir les portes du bonheur.

Vous savez que la vie peut être à l'image de vos plus grands désirs et qu'il s'agit seulement d'y mettre quelques bonnes actions pour enfin toucher au bonheur. Vous méritez ce qu'il y a de meilleur ; félicitations d'être en train de vous l'offrir.

Ce que je vous ai présenté a été fait avec amour et en pensant à l'ensemble des gens de tous les milieux et de toutes les nations car, en chacun, il y a un cœur qui bat et qui veut fondamentalement aimer et être aimé. Alors, c'est sur ce message d'espoir que je vous dis bonne route.

Joie, rire, bonheur, santé, richesse, succès, voilà ce que je vous souhaite profondément. Vous êtes votre meilleur thérapeute.